In the Midst of Life : AI at 40s

마흔즈음에 만난 인공지능

마흔즈음에 만난 인공지능

발행	2024년 05월 30일
저자	이성재
디자인	어비, 미드저니
편집	어비
펴낸이	송태민
펴낸곳	열린 인공지능
출판사등록	2023.03.09(제2023-16호)
주소	서울특별시 영등포구 영등포로 112
전화	(0505)044-0088
E-mail	book@uhbee.net
ISBN	979-11-94006-21-3

www.OpenAIBooks.com

In the Midst of life : AI at 40s

마흔즈음에 만난 인공지능

이성재 지음

목차

머리말

 마흔, 이 숫자는 인생의 특별한 계절을 상징합니다. 너무 어리지도, 너무 늙지도 않은 나이. 무언가 새로운 시작을 꿈꾸며, 현재의 안정을 즐기고 싶은 마음이 한데 얽혀, 이제까지 느끼지 못한 묘한 갈등이 시작되는 시기입니다.

 변화는 때로 우리를 기대하게 만들지만 동시에 불안하게 만듭니다. 세상의 변화는 점점 더 빨라지고, 그 변화 속에서 우리는 자연스럽게 이 변화에 적응하려 애쓰게 됩니다.

 ChatGPT의 등장과 생성형 AI는 우리 주변을 떠들썩하게 만들었습니다. 그동안 볼 수 없던 수준의 인공지능 대화형 서비스를 제공하고 우리가 할 수 없었던 일들을 손쉽게 해결할 수 있기 때문입니다. 대화형 AI(예, ChatGPT, Microsoft Copilot, Google Gemini, Claude)는 자연스러운 대화 능력과 방대한 지식을 바탕으로 우리의 다양한 요구에 응답해 줄 수 있습니다. 쉽게 말하면, 뭐든지 물어보면 답해주는 서비스입니다. 방대한 지식을 품고 있는 이 기술은 마치 모든 질문에 나와 자연스럽게 대화하며 답을 찾아가는 현명한 친구 혹은 비서와도 같습니다. 그리고 이 기술은 우리 일상생활에 더욱 깊숙이 침투하기 시작했습니다.

이 책은 이러한 변화와 흥미로운 현상을 목격한 40대 중년 세대를 위한 안내서입니다. ChatGPT와 같은 인공지능 기술을 활용하여 일상과 일터에서 작은 변화의 불씨를 남길 수 있도록 실질적인 방법을 제시하고자 합니다.

처음 경험하는 낯선 40이라는 인생의 한 페이지에서 우리가 직면하게 되는 많은 고민들, 예를 들어 직장, 자녀 교육, 경제적 불안감, 빠른 은퇴 등에 대한 내용을 함께 고민하고자 합니다. 또한, 급격한 변화 앞에 미래를 준비하기 위해 중년들에게 필요한 역량과 자세를 구체적으로 제안하고자 합니다.

인공지능 시대를 맞이한 중년 세대에게 실질적인 도움을 제공하는 것이 이 책의 목표입니다. 기술을 활용해 '마흔'이라는 중요한 시기를 가뿐하게 넘기고, 이후의 삶을 더욱 풍요롭게 준비할 수 있으면 좋겠습니다.

독자 여러분, 변화하는 세상을 함께 이해하고 이 시기를 넉넉하게 건너가는 방법을 찾아봅시다. 함께 가야 멀리 갈 수 있다는 속담이 있는 것처럼 궁금한 것에 대한 답을 찾기 위해 함께 공부하면 좋겠습니다. 아래 QR코드를 통해 카카오톡 오픈채팅방에서 이 책에서 다루었던 내용과 관련한 지속적인 공부와 나눔을 계속 이어가면 좋겠습니다. 여러분의 참여를 기다리고 있겠습니다.

<오픈채팅방 QR코드>

KAIST 경영대학에서 정보경영 석사학위를 받았다. 개발자로 커리어를 시작하여 IT와 데이터 분야에서 다양한 직무를 경험했다. 과거에는 회사에서 디지털과 데이터 관점에서 어떻게 상품을 더 팔 수 있을지 고민하는 일을 해왔고, 현재는 기술을 활용하여 새로운 기회를 찾고 적용하는 일을 하고 있다. 또한 평범한 가정의 아버지이자 두 아이의 롤 모델로, 삶의 다음 장인 40대에 접어들면서 변화를 추구하고 끊임없이 도전을 즐기는 그는, 빠르게 변화하는 상황 앞에서 계속되는 변화를 추구하며 지속적인 개인 및 전문적 성장을 이어가고 있다.

1장

40대, 변화의 시대를 맞이하다

1. 40대의 의미와 고민들

오늘날 40대 대부분은 치열한 경쟁과 책임의 무게 속에서 고군분투하며 살아갑니다. 자신이 무엇을 좋아하는지, 무엇을 잘하는지 그리고 하고 싶은 일이 무엇인지를 모른 채 주어진 환경에서 최선을 다해 살아가는 삶은 어쩌면 당연해 보일 수 있습니다. 자신의 삶을 돌아보거나 나 자신을 조금 더 살펴볼 겨를도 없이 인생의 40페이지에 도착했고, 과거와는 다른 거친 변화들이 눈앞에 매섭게 닥치고 있습니다.

부모 세대의 도움으로 대학을 졸업하고 취직해 안정된 직장생활을 하며 달려왔고 이제는 직장 내에서 높아진 지위나 그동안 쌓인 전문성으로 대내외로 많은 영향력을 행사할 수 있는 시기일 수 있습니다. 하지만 동시에 경력의 정체기를 맞이하는 때이기도 합니다. 같은 일을 오랜 시간 해왔기 때문에 성장 동력이 떨어지기도 하고, 자기 능력만으로는 더 이상 높은 지위에 오르기 어려운 경우도 발생합니다. 그뿐만 아니라 젊은 임원의 발탁과 함께 치고 올라오는 후배 세대, 그리고 눈앞에 다가온 은퇴. 이 모든 것에서 우리의 불안감은 갈수록 커질 수밖에 없습니다.

현재 자신이 어떤 위치에서 어떤 일을 하고 있던 간에 이 시기는 불안감이 고조되는 시기일 수밖에 없습니다. 은퇴 이후의 삶은 어떻게 될지, 자녀는 어떻게 교육해야 할지 등 쉽게 풀 수 없는 고민이 우리를 에워싸고 이에 대한 부담감이 커지기 마련입니다. 블로그와 유튜브, 인스타그램과 같은 SNS에는 연일 다른 사람들의 성공스토리가 계속 등장하고, 이는 우리의 불안감을 더욱 자극하고 마음을 조급하게 만듭니다.

그럼, 이 시기 어떻게 해야 할까요? 당장 회사를 박차고 나가서 남들이 걷고 있는 성공할 것만 같은 길로 뛰어 들어가야 할까요? 준비되지 않은 퇴사는 큰 위험을 수반합니다. 무엇보다 40대에게 필요한 것은 자신의 전문성과 가능성을 면밀히 파악하고 새로운 것을 두려워하지 말고 시도해 보는 것입니다. 타인과의 비교는 잠시 내려놓고, 나의 상황과 시대적 변화를 살피고 명철하게 자신을 분석해야 할 것입니다.

분명한 자기 인식과 구체적인 계획을 세울 때, 40대는 불안감이 가득한 시기가 아니라 새로운 꿈과 도전을 할 수 있는 황금기가 될 수 있습니다. 거친 바다를 항해하는 선장이 배의 키를 잡고 물살을 가르며 가는 것처럼, 여러분이 40대의 멋진 페이지를 펼칠 수 있을 것이라 확신합니다.

2. 인공지능 시대 살아가기

　2023년은 생성형 AI의 해였다고 말할 수 있을 정도로 인공지능이 우리 경제와 모든 산업의 중심에 서는 한해였습니다. 그리고 ChatGPT를 시작으로 생성형AI의 엄청난 인기와 주목 안에서 인공지능의 가능성을 전 세계 사람들의 머릿속에 각인시켰습니다. 그리고 인공지능의 막강한 성능 아래 인간의 일자리를 비롯하여 일상생활 전반에 걸쳐 큰 변화가 예상됩니다. 인공지능 시대를 맞이하여 우리는 어떤 삶의 자세를 준비해야 할까요?

　인공지능은 기존의 단순 반복 활동 위주의 작업을 쉽게 자동화시킬 수 있을 뿐만 아니라, 문화와 예술 영역에서도 그 활용도가 높아지고 있습니다. 공장 자동화(스마트 팩토리), 고객 관리(챗봇), 추천 서비스(쇼핑, 영상 등) 등은 ChatGPT의 출현 이전에도 이미 활발히 진행되어 우리 일상에서 쉽게 찾아볼 수 있는 사례였고, 이제는 글쓰기, 영상/음악 제작, 이미지 생성, 홈페이지 제작 등 다양한 영역에서 AI가 활용되기 시작했습니다.

　그동안 우리는 창의적 능력과 감성 같은 영역이 가장 인간다운 모습이라며, 이것들은 기술에 절대 대체될 수 없다고 믿어왔지만, 이러한 전통적인 신념들이 이제 시험대에 오르고 있습니다. 이제 우리에게는 새로운 기술과 융합의 가치를 열린 마음으로 받아들이는 자세가 필요합니다. 나와 상관없는 일이라고 여겨지거나 어렵고 필요 없을 것 같아 경험을 거부하는 분들도 있겠지만, 인공지능을 활용하면 자신의 업무, 일상, 그리고 새로운 기회를 잡는 데 큰 도움이 될 것입니다. 또한 인공지능 시대를 살아가기 위해서는 창의성과 감성을 기르는 한편, 정보 윤리 의식과 수용의 자세를 갖추는 것이 필요합니다.

하지만, 기술의 진보가 항상 긍정적인 결과만 가져오는 것은 아닙니다. 인공지능을 활용한 범죄들이 날로 늘어가고 있기 때문입니다. 딥페이크^{Deepfake1} 기술을 활용한 음성과 영상 콘텐츠가 가짜뉴스를 양산해 내기도 하며 범죄에 악용되고 있기도 합니다. 최근에는 동급생의 얼굴을 합성하여 유포하는 신종 학폭까지 등장하며, 청소년들 사이에서도 범죄의 수단으로 사용되는 사례가 있었습니다. 이러한 큰 변화 속에서도 바른 인성과 상식을 지키며 기술을 올바르게 사용해야 합니다. 이것은 인공지능과 같은 신기술을 받아들이면서 동시에 그 위험성을 인식하고 대비하는 중요한 과정입니다.

최근 연구에 따르면, 인공지능은 단순히 인간의 일을 대체하는 수준을 넘어서, 인간의 창의력을 확장하는 방향으로 진화하고 있다고 합니다. 이는 인공지능을 인간의 적이 아닌 동료로 받아들여 인간의 강점을 극대화할 수 있는 도구로 활용한다면 그 가치가 한층 커질 수 있음을 시사합니다. 내가 가진 창의력의 벽을 넘어 새로운 아이디어를 구상할 수 있고, 나의 지식과 경험을 확장할 수 있습니다.

1　딥페이크는 인공지능을 사용하여 사람들의 얼굴이나 목소리를 실제처럼 보이게 조작하는 기술입니다. 이를 통해 진짜 같은 가짜 비디오나 오디오를 만들 수 있습니다.

중요한 것은 결국 인공지능을 어떻게 바라보고 접근하느냐 하는 마인드입니다. 위협으로 받아들이기보다는 보완적 동반자로 수용한다면 인공지능은 우리에게 더 큰 가치를 제공할 것입니다. 궁극적으로는 인간의 본질을 실현하는 데 기여할 방식으로 인공지능을 활용하는 것이 앞으로의 나를 지킬 수 있는 수단이 될 것으로 생각됩니다.

2장

인공지능이 가져올 변화

1. 내 일자리는 안전한가

AI는 일자리를 대체하는가

   1960년대 이래로 기술 발전이 인간의 일자리를 대체할 것이라는 경고가 계속되었으며, 2022년 11월 30일 ChatGPT의 출현으로 이 논의가 다시 활발히 전개되고 있습니다. 그러나 기술 발전이 일자리에 미치는 파급 효과는 단순한 '대체' 문제를 넘어서 복잡성을 지닙니다.

그림 1 자동화 이전/이후의 모습(출처: DALL·E 3)

인간 노동의 역사를 돌이켜보면, 실질적으로는 노동시간 단축의 역사로 볼 수 있습니다. 근대 이후 주당 노동시간이 60시간에서 현재 40시간으로 감소한 것은 생산성 향상과 직결됩니다. 하지만 이러한 변화는 일자리 감소라는 문제를 동반합니다. 즉, 생산성의 증가가 '기술 실업'의 발생 가능성을 내포한다는 것입니다. 그러나 기술 발전의 긍정적인 측면을 고려할 때, 이는 노동시간의 단축을 통해 일과 삶의 균형을 이루는 데 기여할 수 있습니다.

AI는 일상을 편리하게 만들기 위해 개발된 도구로, 특정 작업을 더 신속하고 정확하게 수행할 수 있도록 설계되었습니다. 이는 인간의 학습 능력과 사고 과정을 모방하여 작업을 자동화하는 기술이며, 자율주행 차량, 음성 인식 비서, 의료 진단 프로그램 등 우리 일상 속에서 다양한 형태로 활용되고 있습니다.

AI와 자동화 기술은 특정 직무의 대체 또는 효율성 증대에 기여할 수 있습니다. 예를 들어, 제조업에서는 로봇과 센서를 활용한 자동화가 작업장의 위험을 줄이고 생산성을 향상시켰으며, 의료 분야에서는 AI가 질병의 진단을 지원하거나 수술 과정을 보조하는 역할을 수행하고 있습니다.

2022년 11월 ChatGPT의 출현으로 인공지능의 적극적인 도입이 시작되며, 일자리에 대한 위협이 새로운 단계로 접어들었습니다. 특히 반복적이고 예측 가능한 업무를 수행하는 직업군, 예를 들어 번역가, 데이터 입력 담당자, 고객 상담원 등은 AI와 자동화의 영향으로 큰 변화에 직면할 가능성이 높아졌고, 실제로 2023년 12월, 대전 지역의 KB 국민은행 콜센터 상담원 200여명이 해고 통지를 받았다는 기사를 통해 변화가 상당히 빠른 속도로 진행 중이라는 사실을 확인할 수 있습니다.

2023년 3월 27일 골드만삭스가 발표한 생성형 AI 조사보고서는 현재 직업 중 약 2/3가 AI에 의해 부분적으로 자동화될 수 있으며, 이 중 25~50%의 업무가 AI로 대체될 가능성이 있다고 밝혔습니다.

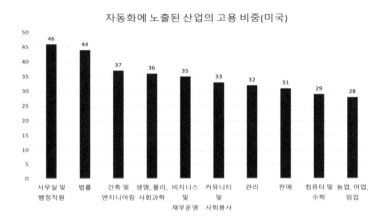

그림 2 자동화에 노출된 산업의 고용 비중(출처: 골드만삭스)

미국과 유럽을 중심으로 진행한 연구 결과에 따르면, 행정업무와 법률 관련 직종이 AI와 자동화의 영향을 크게 받을 것으로 보입니다. 반면 육체노동을 수반하는 직업군에 속한 30%의 노동자들은 AI에 의한 직접적인 영향은 적을 것으로 예상되나, 기계화와 자동화의 영향을 받을 것으로 보입니다. 식당에서의 주문 및 서빙 작업이 로봇으로 대체되는 경우가 그 예시이며, 인공지능 로봇의 영역도 급속도로 발전하고 있습니다. 2024년 3월 AI로봇 '피규어 01'이 공개되어 시장에 큰 충격을 주었습니다. 이 로봇은 인간의 명령에 따라 행동하는 수준을 뛰어넘어 상황을 스스로 파악하고 이에 맞는 행동을 수행하는 모습을 보여주었습니다.(예, 먹을 것을 달라 → 테이블 위에 있는 여러 물건 중 사과를 들어

전달함, 네 앞의 접시들은 어디로 가야할 것 같냐? → 접시와 컵은 건조대에 가야 할 것 같다.)

그림 3 오픈AI의 AI가 탑재된 휴머노이드 로봇 '피규어01'

(출처 : Figure YouTube 영상 캡처)

뿐만 아니라 우리나라의 국책기관인 한국은행에서도 사상 처음으로 국내 일자리의 AI 대체 가능성에 대한 분석 보고서를 발표했습니다. 한국표준직업 분류표의 447개 직업 전수 조사를 통해 각 직업별 AI 노출 지수를 산정하였는데, 고학력 및 고소득 직업군의 AI 노출 지수가 상당히 높게 나타난 점이 주목할 만합니다.

반면, 대면 접촉이 필수적이거나 사람과 사람간의 관계 형성이 중요한 역할에서는 AI가 대체하기 어렵다는 것이 밝혀졌습니다. 사람만이 가질 수 있는 소프트 스킬, 친절, 사교성, 의사소통 능력 등이 AI에 의해 대체되기 어려운 중요한 요소로 강조되었으며, 이러한 능력을 발휘하는 사람들은 더 큰 보상을 받을 것으로 예상됩니다.

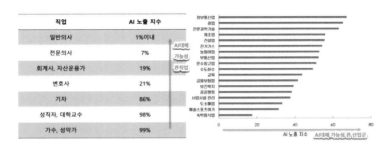

그림 4 직업/산업군별 AI 노출 지수(출처: 한국은행)

특히 고소득 전문직이 AI의 영향권 안에 들어가게 된다는 사실은 우리에게 상당한 충격을 안겨주고 있습니다. 당장에는 뚜렷한 변화가 없을 수 있으나, 기술의 빠른 발전이 장기적으로 전문직 분야에 상당한 영향을 미칠 것으로 예상됩니다.

법률 관련 산업에서는 법률문서 검토, 법률 연구, 계약 분석 등의 작업이 자동화될 수 있습니다. 의료 분야에서는 의료 이미지 분석, 질병 예측 진단, 맞춤형 치료 계획 등이 AI에 의해 수행될 수 있습니다. 세무회계 분야에서는 회계 데이터 분석, 세무 계획 수립, 세금 신고, 감사 등의 업무가 자동화될 가능성이 있습니다.

2023년 5월, IBM의 CEO 아르빈드 크리슈나[Arvind Krishna]는 한 인터뷰에서 약 7,800개 직책이 시간이 지나면서 인공지능에 의해 대체될 가능성이 있기 때문에, 채용을 중단할 계획이라고 발표했습니다. 그는 이러한 변화가 주로 백오피스[Back Office2] 직무에 집중될 것이며, 향후 5년 이내에 약 26,000개의 직책 중 30% 정도 AI와 자동화에 의해 영향을 받을 것이라고 설명했습니다.

---

2 문서작성, 재무관리, 직원관리 등 회사를 원활하게 운영하기 위한 다양한 지원 업무를 통칭합니다.

예술과 마케팅 영역도 예외일 수 없으며, AI가 인간의 노동을 밀어내고 있습니다. Midjourney, DALL·E와 같이 이미지를 만들어내는 생성형 AI와 ChatGPT를 활용한 마케팅 콘텐츠 개발로 인해 창의성 기반의 지적 노동을 하는 예술가들도 인공지능의 영향에서 벗어나기는 어려울 것으로 보입니다. 이는 AI가 단순히 물리적 노동만을 대체하는 것이 아니라, 지적 노동까지도 대체할 수 있다는 것을 시사합니다.

한 3D 아티스트는 커뮤니티에 "생성형 AI로 인해 자신의 역할이 프롬프트 엔지니어로 전락했고, 전통적인 3D 아티스트로서의 꿈을 잃어버렸다."라고 토로했습니다. 중국에서는 AI가 게임업계 디자이너의 일자리를 위협하고 있다는 보고가 있으며, 미국에서는 유명 배우들이 TV 드라마와 영화 제작사 앞에서 생성형 AI의 사용에 대한 안티AI 시위를 벌였습니다. 이들은 AI가 생성한 얼굴이나 음성이 배우의 역할을 대체하지 않도록 하고, 이에 대한 명확한 보상을 요구한 것이었습니다.

그림 5 어느 아티스트의 한탄(출처: reddit)

우리가 살펴본 바에 따르면, 기술은 일자리를 완전히 대체하지는 않지만, 일자리의 성격을 변화시키고 다수의 업무를 자동화하거나 개선하는 방향으로 나아갈 것으로 보입니다. 이에 따라, 우리 각자는 현재 종사하고 있는 직업군과 인공지능이 이에 미칠 영향에 대해 심도 있게 고민하고, 미래를 보다 긍정적이고 효과적인 방향으로 이끌어가야 할 필요가 있습니다.

일자리의 변화와 새로운 기회

앞서 언급했듯, AI의 출현으로 인한 변화를 단순히 'AI가 일자리를 빼앗는다'고 표현하는 것은 전체 상황을 왜곡하는 경향이 있습니다. 주목해야 할 점은 '일자리 이동' 혹은 '일자리의 변화'입니다. 자동화와 AI는 기존의 일자리를 일부 감소시킬 수 있지만, 동시에 새로운 기술 관련 직업을 만들어냅니다. 예를 들어, AI 개발자, 데이터 과학자, 로봇 공학자 등의 직업은 AI와 자동화 기술이 발전함에 따라 더욱 중요해지고 있습니다. 이는 기술 발전이 새로운 일자리를 창출하는 측면이 있음을 보여주는 것이며, 이러한 직업은 AI와 같은 신기술을 이해하고 활용할 수 있는 능력이 필요합니다.

세계경제포럼^{World Economic Forum}의 「미래 직업보고서 2023」는 2023년부터 2027년 사이에 약 7천 5백만 개의 일자리가 사라지고 약 1억 3천만 개의 새로운 일자리가 생겨날 것으로 예측합니다. 이 보고서는 단순하고 반복적인 업무를 중심으로 하는 일자리가 감소하는 반면, 기술, 데이터, 핀테크, 농업 등의 분야에서 새로운 일자리가 빠르게 증가할 것으로 전망합니다.

이러한 변화에 적응하기 위해서는 우리 사회가 교육과 훈련 체계를 통해 새로운 기술과 지식을 습득하도록 장려하는 것이 중요합니다. 이는 AI와 같은 신기술이 미래 세대에 미치는 영향에 대응하는 데 필수적인 조치가 될 것입니다.

영국의 BBC는 미래학자이자 『로봇 규칙: AI는 어떻게 모든 것을 변화시킬까』의 저자인 마틴 포드[Martin Ford]를 통해 창의적인 업무, 정교한 인간관계가 필요한 업무, 예측할 수 없는 환경에서의 이동성과 순발력, 문제 해결 능력을 요구하는 직업들이 가까운 미래에 AI로부터 상대적으로 안전할 것이라고 보도했습니다. 창의적인 업무는 공식에 맞춰 일하거나 이미 정해진 것을 재배치하는 수준이 아닌, 진정으로 새로운 아이디어를 내거나, 새로운 것을 만들고 구축하는 일이며, "과학, 의학, 법률 등의 분야처럼, 새로운 소송 전략이나 사업 전략을 생각해 내야 하는 사람들"을 예로 들었습니다.

정교한 대인관계가 필수적인 직업으로 간호사, 비즈니스 컨설턴트, 사건을 조사하는 언론인 등을 예로 들며 "인간에 대한 깊은 이해가 필요한" 직업이라고 소개했습니다. "예측할 수 없는 환경에서 많은 이동성, 순발력, 문제 해결 능력을 갖춰야 하는 직업"으로 전기 기술자, 배관공, 용접공 등과 같은 직업을 예로 든 포드는 "이러한 직업 종사자들은 항상 새로운 상황에 대처해야 한다"고 강조했습니다. 빌 게이츠도 기술 발전이 일자리에 미칠 영향에 대해 우려하면서도 동시에 AI 활용의 중요성을 강조하고 있습니다. 즉 유용한 도구로 활용하는 방향으로의 발전을 생각하고 있습니다.

결국, 사람이 가장 잘하는 것 그리고 기계가 대체할 수 없는 일이 무엇인지 생각해 보고 자신이 하는 일 가운데서 자신의 역량을 기계가 대체 못 하는 방향으로 계속해서 키워내는 것이 중요해질 것입니다.

키워야 할 스킬

인공지능 시대에 요구되는 주요 스킬로는 창의력, 문제 해결력, 의사 소통 능력, 정보기술 활용 능력이 있습니다. 이러한 능력들은 AI가 대체 하기 어려운 인간만의 고유한 특성을 반영합니다. 특히, AI와 본질적으로 다른 인간다운 능력의 중요성은 더욱 강조됩니다. 이와 더불어, 인공 지능 기술에 대한 이해와 활용 능력 역시 필수적입니다. 과거처럼 오랜 기간 공부하고 학습해 왔던 것이 개인의 미래를 장기간 책임질 수 없기 때문에, 평생 학습의 자세로 새로운 기술과 지식을 지속적으로 습득하는 것이 안정적인 삶을 영위하는 지름길이 될 것입니다.

변화하는 환경 속에서, 기존의 직장 역량도 새로운 차원으로 진화하고 있습니다. 과거에는 주니어 또는 중간 관리자로서 보고서를 잘 쓰거나 주어진 일을 제때 처리하는 것이 중요했다면, 이제는 더 높은 수준의 리더십과 전략적 사고가 요구됩니다. 이는 중간급 이상의 리더로서 사람들을 관리하고, 전체적인 관점에서 업무를 바라볼 수 있는 능력을 의미합니다.

「GPTS are GPTS」 논문에서 직무 스킬과 인공지능의 영향을 분석한 결과, 과학과 비판적 사고 스킬은 AI의 영향을 덜 받는 것으로 나타났습니다. 반면 프로그래밍과 작문 스킬은 더 큰 영향을 받는 것으로 나타났습니다.

이와 유사하게 향후 5년간 직업과 기술이 어떻게 변화할지 분석한 세계경제포럼World Economic Forum의 「미래 직업보고서 2023」에서는 창의적 사고, 분석적 사고, 기술적 문해력을 중요한 스킬로 강조하고 있습니다.

세계경제포럼에서 말하는 가장 필요한 기술	
1	분석적 사고
2	창의적 사고
3	회복 탄력성, 유연성 및 신속함(기민함)
4	동기 부여 및 자기 인식
5	기술 문해력(활용 능력)
6	호기심과 평생 학습
7	신뢰성 및 세부 사항에 대한 주의력
8	공감 및 적극적인 경청
9	리더십과 사회적 영향력
10	교육 및 멘토링

그림 6 가장 필요한 기술(출처: 미래직업보고서 2023)

전 앨런 AI 연구소의 CEO인 오렌 에치오니[Oren Etzioni] 박사는 디지털 문해력의 중요성을 강조하며 "AI는 단순한 인공(Artificial) 지능이 아니라, 사람의 능력을 키워주는 증강(Augmented) 지능이 되어야 한다"고 말했습니다.

필 머피[Philip Murphy], 미국 뉴저지 주지사는 미디어 문해력의 중요성을 강조합니다. 특히, 기술 진화를 악용한 가짜정보를 구별할 수 있는 능력이 중요하다고 말합니다. 이는 1차 자료와 2차 자료의 차이, 사실과 관점 및 의견이 어떻게 다른지 이해하고, 특정 정보를 사용할 때 발생할 수 있는 경제적, 법적, 사회적 문제의 여부를 파악하는 것을 말합니다. 또한, 정보가 어떻게 생산되는지를 이해하고 정보를 단순히 수용하는 것이 아닌 비판적으로 사고하는 능력도 중요하다고 말합니다.

AI는 우리가 하지 못하거나 상상하는 것을 가능하게 해주는 도구로, AI를 어떻게 사용하고 활용하는지에 대한 학습이 지속적으로 이루어져야 합니다. 새로운 기술들이 쉼 없이 쏟아져 나오는 지금 우리는 창의적 사고, 분석적 사고, 기술 문해력을 기반으로 자신의 영역에서 새로운 아이디어 즉, 콘텐츠에 집중하여 기술이라는 손과 발을 활용할 수 있는 사람으로 거듭나야 할 것입니다.

2. 자녀 교육은 어떻게 해야 할까?

대한민국 사회에서 자녀 교육은 부모들에게 가장 큰 고민 중 하나입니다. 과도한 경쟁과 학업 부담, 빠르게 변화하는 교육 환경, 코로나19를 겪으면서 활발해진 온라인 학습, 그리고 진영 논리 아래 시시각각 변하는 각종 정책들이 자녀 교육의 복잡성을 증가시키고 있습니다. 자녀의 연령에 따라 고민의 방향과 정도가 다르겠지만, 자녀가 진로를 선택하고 자신의 삶을 구축해 나가는 중요한 시기를 겪고 있는 부모들은 더욱 많은 고민을 하게 됩니다. 중요한 것은 현재 한국의 교육 실정과 교육 시스템의 변화를 뛰어넘어 흔들림 없이 성장할 수 있는 아이들로 키워내는 것입니다.

교육 변화의 필요성 - 자녀 교육에도 변화가 필요하다

변화의 속도가 눈부시게 빨라졌습니다. 새로운 기술의 등장은 전통적인 직업을 재정의하고, 이러한 변화는 우리가 알고 있는 성공의 기준을 뿌리부터 흔들고 있습니다. 현재 성공적인 것으로 여겨지는 직업이 미래에도 동일한 가치를 지닐 것이라는 가정은 위험할 수 있습니다.

20~30년 전 학창 시절에는 존재하지 않았던 직업들이 세상에 등장했으며, 지금도 새로운 직업들이 계속해서 출현하고 있기 때문입니다. 이는 미래에 우리 자녀들이 마주할 세상이 오늘날과는 전혀 다를 수 있음을 보여줍니다. 따라서, 교육이 단순히 지식을 전달하는 것을 넘어서, 이러한 변화를 이해하고, 적응하며 그 속에서 자신의 역할을 찾을 수 있도록 지원해야 합니다. 과거, 지금보다는 상대적으로 느린 변화의 시기에는 학령기 때 가졌던 꿈을 대학 졸업 후 이루는 경우가 있었지만, 이제는 어떤 일을 하게 될지 그리고 어떤 일들이 펼쳐질지 예측하기가 어려운 시대입니다. 분명한 것은 아이들이 학교에서 무엇을 배우던 앞으로 자녀의 인생에서 처음 보는 것을 하며 살아야 할 수도 있습니다. 따라서, 교육은 현재 직업 시장의 요구뿐만 아니라 미래의 불확실성에 대비한 유연성을 가르쳐야 합니다.

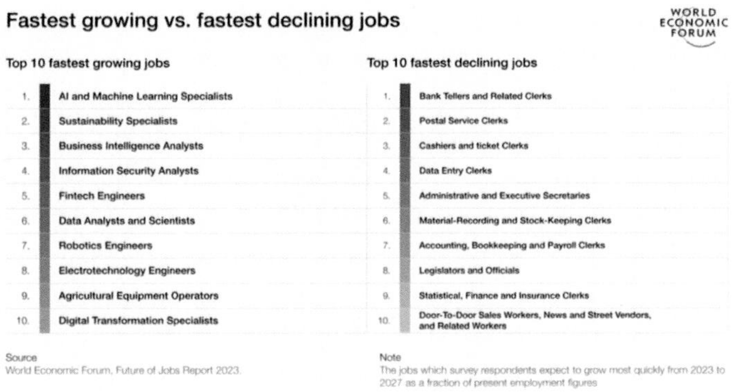

Fastest growing vs. fastest declining jobs

WORLD ECONOMIC FORUM

Top 10 fastest growing jobs		Top 10 fastest declining jobs	
1.	AI and Machine Learning Specialists	1.	Bank Tellers and Related Clerks
2.	Sustainability Specialists	2.	Postal Service Clerks
3.	Business Intelligence Analysts	3.	Cashiers and ticket Clerks
4.	Information Security Analysts	4.	Data Entry Clerks
5.	Fintech Engineers	5.	Administrative and Executive Secretaries
6.	Data Analysts and Scientists	6.	Material-Recording and Stock-Keeping Clerks
7.	Robotics Engineers	7.	Accounting, Bookkeeping and Payroll Clerks
8.	Electrotechnology Engineers	8.	Legislators and Officials
9.	Agricultural Equipment Operators	9.	Statistical, Finance and Insurance Clerks
10.	Digital Transformation Specialists	10.	Door-To-Door Sales Workers, News and Street Vendors, and Related Workers

Source
World Economic Forum, Future of Jobs Report 2023.

Note
The jobs which survey respondents expect to grow most quickly from 2023 to 2027 as a fraction of present employment figures.

그림 7 가장 빠르게 성장하는 직업과 감소하는 직업　　　(출처: 세계경제포럼)

그림 7은 세계경제포럼^{World Economic Forum}에서 발간한 2023년 리포트의 내용입니다. 빠르게 변화하는 상황이 성장할 직업군에도 큰 영향을 주는데, 앞으로 얼마나 변화할 지 예측하기가 쉽지 않습니다. 이러한 현상을 기억하고 부모들은 미래에 자녀들이 겪게 될 전혀 새로운 직업 환경에 대비할 수 있도록, 변화에 적응하고 혁신을 주도할 수 있는 기술과 마인드 셋을 키우는 것이 중요해졌습니다.

아이들에게 필요한 교육방식

그렇다면 어떻게 교육해야 할까요? 가장 중요한 것은 남보다 잘하는 것이 아니라 남과 다른 것입니다. 세계경제포럼^{World Economic Forum}에서 가장 중요해질 스킬이 창의적, 분석적 사고라고 앞서 언급했습니다. 창의적인 것은 남들과의 비교에서 나오는 것이 아니라, 나만의 독창적이고 독특한 것에서 나온다고 말할 수 있습니다. 남들이 서는 줄에 섰을 때 안정감을 누릴 수 있을지는 모르겠지만 그 길은 우리 사회가 정해놓은 일률적인 기준에서 순위에 의해 평가되는 체계 아래 자녀를 두게 되는 것입니다. 그곳에서는 1등 외에는 인정받기 쉽지 않고 수많은 실패자를 만들어냅니다.

우리의 시선을 조금만 돌려서 편협한 경쟁의 길에서 벗어나 남들이 도전하지 않는 새로운 길을 선택할 수 있도록 돕는다면 그것이 새로운 대안이 될 수 있지 않을까요. 그러나 이러한 선택은 쉽지 않은 것이 현실입니다. 우리 주변에 영유(영어유치원)를 시작으로 사립 또는 국제학교, 유명 학원에 다니는 친구의 자녀들, 그리고 그 자녀들의 놀랄만한 실력을 본다면, 부모들은 아마도 다른 길을 보여주는 것이 실패의 길이라고 생각할지도 모르겠습니다. 저 역시 아직 그 길 한가운데 서 있는 부모의 입장으로 어느 쪽 길을 선택해야 하는지 어려움을 겪고 있습니다.

우리는 이건 꼭 해야 한다고 말하는 주변 사람들의 말에 쉽게 휘둘리는 경우가 많습니다. 맘카페나 아이들의 친구 엄마 등 우리 주변에서 쉽게 만날 수 있는 주변에서의 '카더라' 통신에 의해 우리의 의사결정이 자주 흔들립니다. 하지만 분명한 우리의 방향성은 남들이 모두 가는 그 길이 아닌 다른 길, 우리 자녀만이 걸을 수 있는 그 길을 찾아주어야 하는 것입니다. 무엇보다 학습해야 할 중요한 정보들과 함께 미래에 중요한 능력이라고 여겨지는 창의성과 상상력을 함께 길러주는 것이 꼭 필요합니다.

스티브 잡스는 "창의성은 어떤 것들을 연결하는 것(Creativity is just connecting things)"이라고 말했습니다. 이는 기존의 것으로 다른 것을 창조해 내는 능력과 연결되어 있고, 항상 의문을 가지고 기존 것과 다른 창의적인 것의 가치를 보여주는 능력입니다.

그렇다면 창의는 어디서 시작될까요? 창의는 호기심에서 시작합니다. 그렇기 때문에 우리의 자녀 교육 방식이 바뀌어야 합니다. 『공부머리 독서법』에서 저자는 "호기심은 아이에게서 나오지만, 학습은 외부에서 들어옵니다. 호기심은 능동적이고, 학습은 수용적입니다."라고 말하고 있으며 "아이의 입장에서는 어느 날 갑자기 눈높이에 맞지도 않는 생뚱맞은 지식이 외부로부터 쏟아져 들어오는데 이는 아이의 수용하는 사고를 내면화하게 되어 호기심과 정반대의 방향으로 고정되어 버린다."고 합니다. 스스로 관찰하고 의문을 품고 질문하고 답을 찾는 과정이 일어날 수 있도록 해주어야 합니다. 따라서 많은 점을 만들어내고, 그 점들이 서로 이어질 수 있도록 해야 합니다. 여기서 놓치지 말아야 할 것은 점들을 만드는 부분입니다. 점이 존재하지 않는다면 점을 이을 수조차 없습니다.

점들을 제대로 많이 찍을 수 있도록, 그래서 그 점들이 특정 임계치를 넘어서 선으로 연결될 수 있도록 돕는 것이 부모가 자녀를 돕는 최선의 방법일 것입니다.

자기주도학습

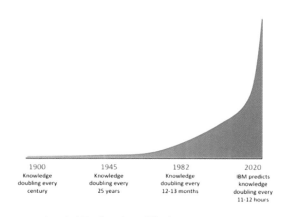

그림 8 지식 두 배 증가 곡선(출처 : Learning Solutions)

버크민스터 풀러^{Richard Buckminster Fuller}는 「지식 두 배 증가 곡선^{Knowledge Doubling Curve}」으로 인류의 지식 총량이 늘어나는 속도를 설명했습니다. 19세기까지만 해도 지식의 총량이 두 배로 늘어나는 데에는 100년이라는 긴 시간이 걸렸습니다. 하지만 20세기에 접어들면서 지식 증가 속도가 빨라져, 1900년대부터는 25년마다 지식이 두 배로 늘어났습니다. 이런 추세는 더욱 가속화되어, 2030년에는 단 3일 만에 지식이 두 배로 늘어나는 '지식의 빅뱅'이 일어날 것으로 예상됩니다. 이는 새로운 지식과 정보가 폭발적으로 증가하는 시대가 도래할 것임을 의미합니다. 이렇게 빠르게 증가하는 지식을 누군가가 계속해서 가르쳐주거나 주입시켜줄 수 없는 것이 현실입니다. 물론 모든 지식을 습득할 필요도 없고 가능하지도 않지만, 적어도 자신이 관심있고 배우고자 하는 영역에 있어서 스스로 공부하고 답을 찾아가는 능력이 중요한 시대입니다. 하지만 주변 아이들의 성적과 학습 과정을 지켜보는 부모들은 불안감이 생기기 마련입니다. 그래서 많은 부모들이 자녀를 학원에 보내고 체계적인 관리하에 공부할 수 있도록 돕습니다. 학습기관에서 계획을 세워주고 시간을 관리해주며 공부할 수 있도록 철저하게 대비해줍니다. 그렇지만 누군가의 도움을 받아서 그 방법을 터득한다 하더라도 장기적으로는 스스로 하는 아이를 이길 수는 없습니다.

생각하는 방법, 호기심으로부터 시작되는 아이의 학습은 아이로 하여금 능동적인 배움의 길을 걸을 수 있도록 도와줍니다. 스스로 시행착오를 겪으면서 경험한 것들이 아이들에게 큰 자산이 됩니다. 따라서 자기주도학습이 굉장히 중요합니다. 자신의 목표를 설정하고, 계획을 세우고, 피드백하는 능력이 필요합니다. 이러한 과정을 통해 아이들은 자신의 색깔을 찾게 되고 자신이 잘하고 하고 싶은 일을 찾아 흥미를 느끼게 됩니다. 또한 이러한 과정은 아이들이 능동적인 배움의 길을 걸을 수 있도록 돕습니다.

자기주도학습과 관련된 서적을 살펴보면 다양한 방법들이 있다는 사실을 알 수 있습니다. 저는 그중에서 독서가 바로 자기주도학습의 시작이라고 생각합니다. 디지털과 인공지능의 시대임에도 불구하고 책은 여전히 우리에게 주는 것이 많습니다. 독서는 생각하고 살펴보며 고찰하고, 독특한 생각이 형성될 수 있는 기회를 제공해 줍니다. 생각한다는 것은 인류의 특권이자 생존을 위한 기본 전제 조건이 됩니다.

　　미국의 대형 출판사 스콜라스틱^{Scholastic}에서 발간한 『독서의 가치^{Values} $^{of\ reading}$』에 따르면, 아이들이 스스로 책을 선택하여 읽으면 책 전체를 읽을 확률이 5배 높아지며 자신이 학습을 주도하게 되고 이 과정을 통해 아이들은 더 낙관적인 성향을 띠게 되고 더 높은 목표를 향해 도전하고 꿈을 이룰 수 있는 세상을 보게 된다고 합니다.

　　미래에 우리 아이들이 새롭게 무언가를 접했을 때, 스스로 배우고 공부할 수 있어야 합니다. 독서를 통해 학습의 동기를 스스로 부여하고 스스로 지식을 구축할 수 있도록 도와야 할 것입니다.

AI를 잘 활용하려면

　　그렇다면 인공지능 시대, 우리의 학습방법은 어떻게 변화해야 할까요? "인간에게 쉬운 일은 컴퓨터에게 어렵고, 반대로 인간에게 어려운 일은 컴퓨터에게는 쉽다."라는 모라벡의 역설 $^{Moravec's\ Paradox}$을 생각해보면, 우리가 어디에 집중해야 하는지 알 수 있습니다. 인공지능이 잘하는 영역과, 인간이 잘하는 그 고유의 영역을 잘 살펴보고 그에 따라 학습의 방향을 설정해야 한다는 것입니다. 한스 모라벡$^{Hans\ Moravec}$에 따르면, 로봇이 인간을 급속하게 추월할 것이기 때문에 우리는 기계가 잘하는 영역을 더 잘하려 노력해야 할 것인지에 대한 의구심이 들지 않을 수 없습니다. 따라서, 인간이 기계보다 잘하는 영역을 키워가고, 기계가 잘하는 영역은 활용해야 합니다.

Is ChatGPT safe for all ages?

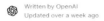
Written by OpenAI
Updated over a week ago

- ChatGPT is not meant for children under 13, and we require that children ages 13 to 18 obtain parental consent before using ChatGPT. While we have taken measures to limit generations of undesirable content, ChatGPT may produce output that is not appropriate for all audiences or all ages and educators should be mindful of that while using it with students or in classroom contexts.
- We advise caution with exposure to kids, even those who meet our age requirements, and if you are using ChatGPT in the education context for children under 13, the actual interaction with ChatGPT must be conducted by an adult.

그림 9 ChatGPT 연령 제한(출처: OpenAI)

자녀 교육에 ChatGPT와 같은 인공지능을 도입하는 것은 현대 기술을 활용하는 매력적인 접근법입니다. 그러나 이와 동시에 학습력 약화의 위험성을 고려하지 않을 수 없습니다. ChatGPT의 능력은 평범한 학업을 넘어서서 과제물이나 리포트, 논문까지 완벽하게 작성할 수 있습니다. 이런 능력은 긍정적으로 작용할 수 있지만, 동시에 남용하면 부정적으로 작용할 수도 있습니다.

『최고의 교육Becoming Brilliant』 저자인 로베르타 골린코프Roberta Golinkoff와 캐시 허쉬-파섹Kathy Hirsh-Pasek은 미래가 원하는 아이들의 역량을 6C로 정의했습니다. 6C는 협력Collaboration, 의사소통Communication, 콘텐츠Content, 비판적 사고Critical Thinking, 창의적 혁신Creative Innovation, 자신감Confidence입니다.

6C와 같은 역량은 AI가 대체할 수 없고, 대신 해줄 수 없으며 인간만이 할 수 있는 영역입니다. 동시에 AI를 도구로써 잘 활용할 수 있게 만들어주는 핵심 역량이라고 말할 수 있습니다. 이러한 핵심 역량이 부재한 상태로 AI를 학습의 중심 도구로 활용하게 된다면, 자녀들은 스스로

생각하고 학습하고 문제를 해결하는 능력을 기를 수 없을지도 모릅니다. 왜냐하면 이런 능력은 과제를 직접 수행하고 실패와 성공을 겪으며 다양한 문제에 대한 다양한 해결책을 생각해 내는 과정에서 키워지는데, AI에 의존하면 생각하는 힘을 기르는 데 방해가 될 수 있기 때문입니다. 따라서 아이들만의 고유한 역량을 기를 수 있도록 적극적인 지원이 필요하고 AI를 올바른 방법으로 사용할 수 있도록 도와 더 효과적으로 학습할 수 있도록, 동시에 독립적인 사고력을 유지하고 향상시킬 수 있도록 해야 할 것입니다.

저는 여기서 협력^{Collaboration}을 가장 중요한 역량으로 생각합니다. 집단지성을 통해 새로운 것을 찾아내는 것이 일상화된 요즘, 혼자서 모든 문제를 찾고 푸는 것이 어렵기 때문입니다. 대화하고 토론하고, 의견을 공유하고 협업하는 역량이 필요한 시대가 왔습니다. 단순한 암기가 아니라, 문제를 찾아서 공유하며 함께 해결하는 것이 더욱 중요합니다.

자녀의 행복, 그 시작은 학습의 주도권

자녀의 행복은 그들의 성장과 성공에 뿌리를 두고 있습니다. 성공이라는 개념은 부모의 가치관에 따라 다를 수 있지만, 궁극적으로는 자녀가 자신의 일을 찾고 보람을 느끼며 행복하게 살아가는 것이 부모의 바람일 것입니다. 이를 달성하기 위해 필요한 것은 부모의 솔선수범, 지지와 격려, 그리고 학습의 주도권을 자녀에게 맡기는 용기와 함께 자녀가 스스로 목표를 정하고 계획하며 실행하고 피드백할 수 있는 주도권을 갖게 되는 것입니다.

피그말리온 효과^{pygmalion effect}는 긍정적인 관심, 기대, 바람이 실제로 좋은 결과를 가져오는 현상입니다. 자녀를 신뢰하고 칭찬하며 자녀가 부모의 진실된 관심과 사랑을 느낄 때 부모의 기대에 부응하는 방향으로 아이 스스로가 성장할 것입니다. 자녀 양육에는 정답이 없습니다. 기존의 교육방식을 따르거나 새로운 방식을 찾아볼 수도 있을 것입니다. 그러나 중요한 것은 부모가 가지고 있는 방향성과 철학입니다. 부모의 가치관과 신념은 자녀의 성장과 학습에 중대한 영향을 미칩니다. 새롭게 나오는 도구들을 적절히 사용할 수 있도록 지도하여, 자녀가 자신의 학습을 주도하고 스스로 결정을 내리며, 자신만의 학습 경로를 만들 수 있도록 해야 합니다.

3. 내 인생의 핸들을 내 손에

정년 없는 시대, 홀로서기의 중요성

'정년' 없는 시대, 마흔이라는 나이는 아직 우리에게 생각할 여유를 주기에 충분한 나이입니다. 늦지 않았다는 말입니다. 50대의 선배들을 보면서 경력의 끝자락이 가까워져 왔음을 느끼고, 또 그 윗세대를 보면서 안정적인 은퇴 생활이 과거 시대에 이미 사라졌다는 사실을 깨닫습니다. 또한 조직이 더 이상 나를 지켜주지 않는다는 진실을 마주하게 됩니다. 은행권에서 39세까지 희망퇴직을 받는다고 한 기사를 어렵지 않게 찾을 수 있고, 서울시 50플러스재단에 따르면 재직 중인 40대 서울 시민 10명 중 3명만이 정년까지 일할 것으로 기대한다는 조사 결과가 나왔습니다. 그렇다면 30% 정도만 정년이 가능하다는 결과인데, 남은 70%는 중간에 바깥 시장으로 나와야 한다는 말입니다. 더 이상의 평생 직장은 존재하지 않고 많은 이들은 평생직업을 찾고 있습니다. 『익숙한 것과의 결별』에서 구본형 작가는 "평생직장은 더 이상 지켜지지 않는 추억이 되었다."라고 말했습니다. 또한 직장인에서 경영인으로 탈바꿈

하라고 제안하고 있습니다. 우리에게 퇴사는 반드시 찾아올 것입니다. 준비된 퇴사냐 준비되지 않은 퇴사냐만 있을 뿐입니다. 인생의 2모작, 3모작이 가능한 시대에 사는 우리에게 스스로 선택한 새로운 시작을 허락할 것인가, 타인에 의해 혹은 회사에 의해 선택된 시작이 될 것인지는 스스로 선택해야 합니다.

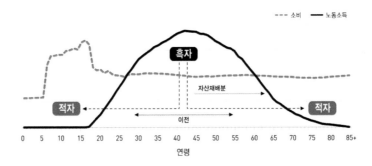

그림 10 1인당 생애주기적자 및 경제적 자원 흐름(출처: 통계청)

통계청에 따르면, 한국인은 40~45세를 기준으로 흑자의 규모가 줄어들기 시작하며, 60세 이후부터는 은퇴 등의 영향으로 적자로 돌아서는 것으로 나타납니다. 그리고 그 시기는 앞으로 더 앞당겨질 것입니다. 이는 더 이상 새로운 현상이 아닙니다. 정년이란 단어는 점점 생소한 단어로 다가오고 있으며, 이제는 일자리의 안정성을 찾기 어려운 시대로 변모하고 있습니다. 기업의 구조조정, 자동화와 인공지능의 발전, 경쟁의 치열함은 개인의 자립을 더욱 강조하게 만들고 있습니다.

『어른답게 말합니다』의 저자 강원국은 미래를 준비하는 방법으로 특정 주제에 대해 10시간 정도는 말할 수 있는 콘텐츠와 스토리가 필요하다고 주장합니다. 그리고 이는 매일 아침 출근하는 직장이 없어도 밥 먹고 삶을 살 수 있게 한다고 합니다. 홀로서기의 중요성은 이제 막연한 이론이 아닌 현실의 필요로 대두되고 있습니다. 프리랜서, 1인 기업, 크리에이터, 창업가 등 다양한 직업군이 생겨나고 있으며, N잡러와 같은 용어도 이제는 어색하지 않습니다. 이는 개인의 역량과 열정을 살려 조직이라는 제약에서 벗어나 자신의 미래를 좌우할 수 있음을 의미합니다.

크몽과 숨고와 같은 재능공유 사이트는 우리의 길을 스스로 개척할 수 있도록 그 장을 열어주고 있습니다. 글로벌 컨설팅 회사인 PWC에서는 재능공유시장 규모가 2025년 44조원에 달할 것으로 보인다고 하며 이 시장의 가능성을 긍정적으로 보고 있습니다. 우리는 이제, 조직에 의존하지 않고 자신의 길을 찾아야 할 시점에 와 있습니다. 안정을 추구하는 시대에서 벗어나, 변화와 도전을 품고 나아가는 길이 필요한 때입니다. 이 길은 쉽지 않을 수 있으나, 새로운 기회와 가능성을 향한 여정이 될 것입니다.

『마흔평생공부』의 저자는 인생의 제2막을 성공적으로 준비한 사람들의 특징을 4가지로 정리합니다.

- 직장을 다니는 동안 한 분야에 대해 끊임없이 공부한다.
- 직장 다니는 동안 자기가 좋아하는 아이템 하나를 정하고 장기간 수집한다
- 직장 다니는 동안 손재주를 개발하여 멋진 작품을 만든다.
- 직장 다니는 동안 자신만의 스토리를 만들고 그 스토리를 끊임없이 메모한다.

우리의 삶은 끊임없는 여정입니다. 그 여정 속에서 우리는 스스로 길

을 찾아, 그 길을 따라 나아가기 위한 방향성을 잡아야 합니다. 우리는 스스로 가치를 발견하고, 그 가치를 활용하여 새로운 시작을 맞이해야 할 것입니다.

우리가 주저하는 이유

- 평범함이 주는 행복감

우리는 회사의 시스템 혹은 조직의 일원으로 있을 때 스스로 인생에 대한 책임감에 안정감을 느낍니다. 매월 통장에 입금되는 월급, 호봉에 의해 혹은 인정받은 능력에 따라 상승한 임금은 우리에게 행복감과 만족감을 가져다줍니다. 조직에 몸담고 있을 때, 우리는 임금을 받고 그 대가로 대부분의 시간을 조직을 위해 사용합니다. 즉, 나의 시간과 삶의 자유를 조직에 맡기게 됩니다. 그리고 조직은 당근을 우리에게 지속해서 제시하며 우리를 독려합니다. 조금 더 인정받으면 승진할 수 있고, 더 높은 임금을 받을 수 있다고 말입니다. 따라서 이 행복감에 취해 있는 경우, 세상의 객관적 평가를 받게 되는 회사 밖의 삶을 선택하기는 쉽지 않습니다.

- 익숙함이 주는 안정감

새로운 것에 대한 선택은 불확실한 결과를 가져다줍니다. 그리고 이는 우리의 마음에 불안감을 조성합니다. 지금까지 해왔던 것을 고수하며 변화하지 않는다면 우리는 걱정할 것도 고민할 것도 없습니다. 하지만 지금 타고 있는 배가 가라앉고 있는지 아닌지는 반드시 확인해야 합니다. 이 안정감은 평생의 안정이 아닌 일생의 중간기에 얻은 짧은 시간의 안정감이라는 사실을 말입니다.

- 두려움이 주는 회피본능

인간에게는 본래 두려움을 회피하고자 하는 본능이 있습니다. 어쩌면 새로운 도전을 앞두고 겁을 먹는 것은 당연한 일입니다. 하지만 우리의 어렸을 적을 생각해 본다면, 매일이 새로운 것에 대한 도전이었습니다. 먹는 것, 걷는 것, 학교에 다니는 것 등 우리는 두려움 없이 도전해 왔습니다. 하지만 성장하면서 그 위험을 인식하고, 자연스럽게 새로운 도전을 꺼리게 된 것은 아닌가 싶습니다.

하지만 매일 조금씩 실천하고 변화를 꾀한다면, 시간이 흘러 언젠가는 그 작은 변화들이 모여 큰 변화로 이어질 것입니다. 그 큰 변화 앞에서도, 우리는 다시 두려움을 느낄지 모르지만, 그때는 이미 그 변화의 중심에 서 있을 것입니다.

40대인데, 너무 늦은 거 아닌가?

변화의 흐름 속에서 우리는 우리만의 힘을 찾아야 한다는 필요성을 절실히 느낍니다. 새로운 것들을 배우며 직장에 의존하는 것이 아니라 스스로의 힘으로 세상을 바라보는 새로운 시각이 필요합니다. 인생의 2모작 준비는 스스로의 능력과 열정을 바탕으로 세상에 기여하고 동시에 흔들리지 않는 자신을 구축할 수 있는 방법입니다. 동시에 인생 후반기 '자기실현'이라는 목표에도 적합한 방법일 것입니다. 하지만 불확실성과 경쟁 그리고 부족한 자본 등의 여러 어려움이 우리를 주저하게 만듭니다.

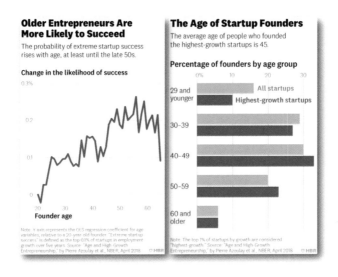

그림 11 40대의 성공 가능성을 보여주는 통계(출처: HBR)

　　「Age and entrepreneurial career success」 논문에 따르면, 40대와 50대에 창업하는 사람들이 성공할 확률은 젊은 창업자들과 마찬가지이며, 때로는 더 높은 확률을 보인다고 합니다. 이는 재정 자본, 사회적 네트워크, 업무 및 관리 경험, 지혜 등 젊은 창업자에 비해 이점을 가지고 있기 때문에 이를 기반으로 사업을 시작하기에 적절한 성공 요인을 가지고 있다고 말합니다. 특히 인생의 중요한 가치와 목적에 대한 이해가 깊어지고 축적된 지식과 기술, 전문성을 활용할 수 있기 때문에 높은 성공률을 보인다고 말합니다.

　　젊은 창업자들은 그들만의 열정과 에너지로 시장에 파고들지만, 중년의 창업자들은 그동안 축적한 지식, 기술, 네트워크를 바탕으로 시장에서 더욱 견고한 위치를 차지할 수 있습니다.

'솔로프러너Solopreneur'. 최근 실리콘밸리에서 최대 화두로 떠오른 이 단어는 솔로Solo와 기업가Entrepreneur를 합쳐서 만든 합성어로 ChatGPT와 같은 생성형 AI를 활용하여 1인 기업을 만들어낸 사람들을 가리키는 용어입니다. 비록 우리가 실리콘밸리의 S급 인재도 아니고 그들만큼 젊지도 않지만, 생성형 AI의 활용은 우리에게 분명 새로운 가능성을 제시합니다. 다른 사람 또는 외부의 도움을 받아야만 가능했던 것들, 예를 들어 번역, 홈페이지 기획/제작, 디자인 작업, 사진/영상 편집 등을 전문 기술 없이 간단한 조작을 통해 또는 프롬프트 입력을 통해 스스로 해낼 수 있게 되었기 때문입니다. 이는 기존의 새로운 분야에 대한 학습의 장벽을 허물어줍니다.

이제는 직장을 다니며 창업을 준비할 수 있는 절호의 기회입니다. 애플의 공동창업자 스티브 워즈니악Steve Wozniak과 이베이의 창업자 피에르 오미디야르Pierre Omidyar도 자신의 직업을 유지한 채 새로운 도전을 해나갔다는 사실을 기억해야 할 것입니다. 이는 인생의 어느 시점에서든 새로운 도전과 기회가 열려있다는 사실을 보여주는 것입니다. 그리고 이전보다 훨씬 더 많은 자원과 정보를 활용하여 창업의 꿈을 실현할 수 있습니다.

무엇을 할 수 있을까?

새로운 기회를 찾는 시작은, 직장을 포기하지 않은 상태에서 플랜B를 준비하는 것입니다. 직장인 신분을 유지하며 사업을 시작하는 것은 쉽지 않지만, 이렇게 시작하면 초기의 불안과 리스크에서 벗어나 심리적 안정을 얻을 수 있습니다. 또한, 초기 시행착오에서 회생할 기회도 더욱 높아집니다.

먼저 무엇을 할 것인지 결정하는 것이 중요한데, 크게는 4가지로 구분해볼 수 있습니다.

- 지식관련 사업 : 작가나 강연, 블로거, 크리에이터 등이 포함됩니다. 생성형 AI가 화제가 되면서 많은 사람들이 생성형 AI를 활용한 블로거, 혹은 크리에이터로 자신의 부캐(부 캐릭터)를 개발하고 있습니다. 뿐만 아니라, 위탁판매를 진행하는 셀러나 전문직에 종사하는 사람들도 지식사업으로 새롭게 진입하고 있습니다.
- 기술관련 사업 : 홈페이지 및 앱 제작, 영상 제작 및 편집 등이 이에 해당됩니다
- 온라인 유통, 서비스 사업 : 스마트스토어, 쿠팡, 무인점포, 구매대행, 병행수입 또는 위탁 판매 등이 있습니다.
- 플랫폼 사업 : 한 집단을 다른 집단이나 서비스와 연결해주는 비지니스로 청소, 배달, 이사, 교육 서비스를 수요자와 공급자를 연결해주는 중개서비스 등을 예로 들 수 있습니다.

이러한 사업을 시작할 때 잊지 말아야 할 것은 비용, 기간, 한계지점을 먼저 정해두어야 한다는 점입니다. 언제 시작하고 언제 끝을 낼지에 대한 기준이 있어야 중요한 순간에 분명한 의사결정을 할 수 있기 때문입니다.

또한 이왕이면 누군가를 고용하는 형태의 것을 수행하고, 시스템을 만드는 것이 좋습니다. 롭 무어[Rob Moore]의 『레버리지[Life Leverage]』에서 저자는 이러한 일을 아웃소싱하라고 말하는데 그 이유는 한정적인 시간을 최대한 효율적으로 활용할 수 있기 때문입니다. 하지만 이에는 비용이

수반됩니다. 이때 우리가 생각할 수 있는 아웃소싱은 생성형 AI입니다. 이를 활용하면 우리의 일을 쉽게 아웃소싱할 수 있게 됩니다.

AI를 활용한 창업은 전례 없는 기회를 제시합니다. 데이터 분석이나 인공지능 모델 개발 같은 기술적인 업무에 대한 이해가 없더라도, AI는 우리에게 이를 가능하게 하는 훈련과 도구를 제공합니다. 이를 통해 기존의 직무에서 벗어나 새로운 경력 경로를 개척하는 데 큰 도움이 될 수 있습니다. 또는 AI를 활용하여 새로운 서비스나 제품을 개발하고 시장에 출시할 수 있습니다. AI를 활용한 컨텐츠 제작, 개인화된 추천 서비스, 고객 행동 예측 등 다양한 영역에서 AI는 새로운 비즈니스 모델을 제공하며 이는 마흔이 넘어서도 새로운 시작을 만들 수 있는 기회를 제공합니다.

블로그 글쓰기, 제품 리뷰, 전자책 출간 등은 비용 없이 시도해볼 수 있는 예시입니다. Midjourney, DALL·E와 같은 이미지 생성 서비스를 활용하여 만든 영상을 유튜브나 틱톡에 게시할 수도 있습니다. 뿐만 아니라 다양한 서비스에 대한 학습을 조금만 한다면, GPT를 활용하여 플랫폼 사업도 시작할 수 있습니다. 또한 노코드[No-Code] 툴로 간편하게 웹사이트 또는 모바일 앱을 개발하고, GPT가 연계된 AI 서비스를 시작할 수도 있습니다.

이처럼 인공지능과 함께한 창업은 창업의 장벽을 낮추고, 효율성을 높이며, 더 많은 가능성을 열어줍니다. 전통적인 방식과 결합하여 새로운 창업의 길을 열 수 있을 것입니다. 그리고 AI는 우리가 하고자 하는 방향을 더 빠르게 이룰 수 있도록 도울 것입니다.

그림 12 Think Big Act Small(출처: DALL·E 3)

　　AI를 활용한 작은 변화를 지금 인생의 40페이지부터 조금씩 실천해 나간다면, 단기간에 우리가 원하는 바를 이룰 수는 없어도, 어느새 우리가 원하는 목표에 도달해 있는 우리의 멋진 50대, 60대가 되지 않을까 생각합니다.

　　2024년 1월 세계지식포럼에서 오픈AI 공동 창업자이자 최고경영자인 샘 올트먼Samuel Altman은 "AI가 인간의 생산력과 창의력을 비약적으로 높일 것이며 GPT와 같은 강력한 도구의 출현으로 한 사람이 창업하고 운영하는 1인 기업도 유니콘(기업가치 1조원 이상의 비상장기업)이 되는 시대가 수년 내로 올 것"이라고 말했습니다. 경쟁도 치열해지겠지만, 기회라는 문이 활짝 열려있는 지금의 시대에 실행하는 습관이 우리에게 있어야 할 것입니다.

4. 콘텐츠와 퍼스널 브랜딩

퍼스널 브랜딩의 중요성

　최근 '퍼스널 브랜딩$^{Personal Branding}$'이라는 용어가 자주 언급되고 있습니다. 이는 프리랜서나 사업을 하는 사람들에게 친숙한 키워드이지만, 직장생활을 하고 있는 사람에게는 다소 낯설 수 있습니다. 하지만, 개인화 시대에 이제 자신을 브랜딩 하는 것이 선택이 아닌 필수가 되었습니다.

　커피 하면 스타벅스, 햄버거 하면 버거킹이 떠오르듯, 오은영 박사, 강형욱 전문가, 김창옥 교수, 김미경 강사 등 전문가들은 자신의 분야에서 뚜렷한 개인 브랜드를 구축하였습니다. 그리고 그들의 이름이 자신의 전문성을 대변하게 되었습니다. 예를 들어, 오은영 박사는 아동의 심리학과 부모 교육의 대명사가 되었고, 강형욱 훈련사는 반려동물 교육의 대표 아이콘으로 자리 잡았습니다. 김창옥 교수와 김미경 강사 역시 각각 커뮤니케이션과 자기 계발 분야에서 독보적인 위치를 차지하고 있습니다.

하지만 퍼스널 브랜딩은 이제 유명 인사들에게만 한정되지 않습니다. 우리 주변 일반 직장인들 사이에서도 자신을 브랜딩하는 사례가 늘고 있습니다. 가장 익숙한 회사 내 '사회 전문가', '엑셀 또는 VLOOKUP 전문가' 또 다른 이는 AI 전문가, 육아 전문가, 맛집 전문가, 부동산 전문가, 자전거 전문가 등으로 불리기도 합니다. 이들은 자신의 특정 기술이나 지식을 통해 직장 내에서뿐만 아니라, 업계 전체에서도 인정받는 전문가로 발돋움하거나 유튜브와 같은 채널에서 자신을 브랜딩하고 있습니다.

퍼스널 브랜딩의 핵심은 '전문성'과 '인지도'의 결합입니다. 우리가 어떤 분야의 전문가로 인정받는다면, 그것은 단순히 기술적 능력을 넘어서서 인물로서 부각될 수 있다는 것을 의미합니다. 그리고 이는 새로운 기회의 문을 열어주며, 타인이 나의 가치에 투자하게 만드는 힘이 됩니다.

퍼스널 브랜딩의 장점

퍼스널 브랜딩의 중요성을 이해했다면, 그 장점은 무엇일까요? 이것은 단순히 새로운 기회를 열어주는 것에 그치지 않습니다. 퍼스널 브랜딩은 자기 홍보를 넘어 개인의 전문성과 가치를 극대화하며 삶에 깊은 영향을 미칩니다.

첫째로, 전문성 및 신뢰성이 강화됩니다. 우리가 브랜딩하는 영역에서 신뢰할 수 있는 권위자로 인식되도록 도와줍니다. 우리 개인의 의견과 지식에 대한 신뢰를 구축하는 중요한 요소입니다. 둘째로, 경쟁 우위를 확보할 수 있습니다. 다른 사람들과의 차별성을 통해 돋보이게 할 수 있고, 이는 직장에서의 새로운 기회를 포함하여 이직 또는 전문 영역에서 더 큰 영향력을 행사하는 데 도움이 됩니다. 셋째로, 새로운 기회를 얻게 됩니다. 사람들이 우리와 연결하고자 하는 욕구가 촉진되며, 이는 비지니스 관계, 멘토십, 업계 내 파트너십 구축에 중요한 역할을 합니다. 이는 새로운 경제적 파이프라인을 구축하는 기회로 발전할 수 있습니다. 넷째로, 자아실현이 가능합니다. 퍼스널 브랜딩은 자신의 가치와 열정을 탐구하고 표현하는 과정입니다. 누군가가 시키는 일을 할 때 얻는 성취와는 다른 보람을 느낄 수 있습니다. 다섯째로, 자존감과 행복감이 증진됩니다. 누군가에게 필요한 사람이라는 인식과 함께 자신감이 자연스럽게 향상됩니다. 자신의 능력과 가치를 더욱 확신하게 되며, 작은 경험들이 쌓이면서 자존감과 행복감은 더욱 높아집니다. 마지막으로 자신을 더 깊이 이해하게 됩니다. 퍼스널 브랜딩 과정에서 나 자신을 더 잘 알게 되며, 나의 색이 무엇인지 즉 내가 좋아하고 잘하는 것, 다른 사람들의 필요를 채워줄 수 있는 것들에 대한 이해가 높아집니다.

40대, 내가 지금까지 해왔던 일을 중심으로 나의 가치를 찾아내야 합니다. 자신을 브랜딩 하기 위해서는 자신을 면밀히 탐색해야 합니다. 우리가 비싼 돈을 주고 명품을 구매하듯이 회사나 고객이 비싼 값을 치르고 나를 선택할 수 있도록 남들과는 다른 차별성이 절대적으로 필요합니다.

인공지능과 퍼스널 브랜딩

인공지능시대가 도래함에 따라, 개인과 기업은 이제 전례 없는 방식으로 정보를 수집, 분석 및 공유할 수 있게 되었습니다. 이러한 변화 속에서 퍼스널 브랜딩은 개인의 전문성과 가치를 뚜렷하게 부각시키는 필수적 수단으로 자리 잡았습니다. 또한 개인이 전문 영역에서 인지도를 높이고, 신뢰를 쌓으며, 더 넓은 기회를 얻도록 돕는 중요한 역할을 합니다.

인공지능 기술은 퍼스널 브랜딩 과정을 혁신적으로 변화시킵니다. ChatGPT나 Claude와 같은 도구를 사용하면 다양한 스토리와 대본을 빠르게 작성할 수 있습니다. ElevenLabs나 KT의 AI Voice Studio로 자신의 목소리를 학습시켜, 본인의 목소리를 활용하여 오디오를 만들 수 있습니다. 이는 나 자신을 직접 노출시키지 않은 채 브랜딩이 가능하며 컨텐츠 생성의 속도를 증가시킵니다. 또한 Heygen, D-ID, Synthesia, Delphi는 자신의 사진 또는 영상을 업로드하여 학습된 자신의 이미지를(영상) 자유롭게 활용하여 컨텐츠 제작에 활용할 수 있습니다. 한국어뿐만 아니라, 자연스럽게 다른 나라 언어로 만들어낼 수도 있습니다. 한 번 학습시킨 영상을 재활용하며 다양한 컨텐츠를 빠르게 재생산해낼 수 있는 장점이 있고, 다른 사람의 도움 없이 AI만을 가지고 나 또는 나의 채널을 브랜딩 할 수 있게 되었습니다.

그러나 인공지능이 가져오는 혁신에도 불구하고, 퍼스널 브랜딩의 핵심은 콘텐츠입니다. 인공지능은 브랜딩 전략을 구체화하고 확장하는 데 도움을 줄 수 있으나, 그 핵심은 여전히 개인의 전문성, 가치, 인간적인 특성에 달려 있습니다. 결국 퍼스널 브랜딩은 개인의 신뢰와 인간적인 연결을 통해 구축되며, 이는 인공지능 기술로는 절대 대체할 수 없는 부분입니다.

인공지능은 퍼스널 브랜딩의 중요성을 강조하는 동시에, 이를 현실화하기 위한 강력한 도구로서 작용합니다. 특히, 40대의 개인과 기업인들은 이러한 기술적 변화를 이해하고, 인공지능을 활용하여 자신의 퍼스널 브랜딩 전략을 혁신적으로 개선할 수 있는 기회를 얻게 됩니다.

가장 중요한 것은 자신의 전문 영역에서 자리매김하는 것입니다. 브랜딩은 새로운 것을 만들 수도 있지만, 현재 자신이 하고 있는 전문적인 지식과 기술 그리고 경험 등이 기본이 되어 남을 위해 사용했을 때 구축될 수 있습니다. 그리고 이제 ChatGPT를 포함한 생성형 AI를 통해 결과물을 쉽게 만들 수 있게 되었습니다. 따라서, 어떤 분야에서 무언가를 안다는 것보다는, 실제로 해보았는가가 매우 중요한 시대가 되었습니다. 그리고 실제 경험과 노하우가 나의 경험치를 반증하고 그 영역에서 이름이 알려질 때, 전문가로서 역할을 다할 수 있게 됩니다.

자신의 전문성과 콘텐츠를 일치시키는 것, 즉 브랜딩은 자신을 드러내는 일입니다. 이는 단순히 직장에 국한된 생각이 아니라, 진정으로 좋아하는 것과의 연결에서 시작합니다. 나는 어떤 사람이 되고 싶은지, 자신에 대한 깊은 탐색이 필수적입니다. 자신이 잘하는 것과 시장이 원하는 것 사이의 교착점을 찾는 것이 중요하며, 이는 개인의 삶의 목적, 중요한 가치, 열정이 무엇인지를 포함합니다. 만약 어떤 콘텐츠와 전문성을 가지고 브랜딩을 해야 할지 모르겠다면, 이것조차도 GPT에 물어볼 수 있을 것입니다. 중요한 것은 내가 다른 사람들과 차별화되는 것이 무엇인지를 이해하는 것도 중요합니다.

GPT가 쏘아올린 변화의 바람

1. 인공지능의 개요

인공지능의 발전

인공지능은 기계가 인간처럼 학습하고 추론할 수 있는 기술을 말합니다. 이는 복잡한 문제 해결, 패턴 인식, 그리고 추론과 학습 등을 통해 기계가 인간의 지능을 모방하고, 인간의 작업을 수행하는 능력을 포함합니다.

인공지능은 일상 생활에서부터 산업 분야에 이르기까지 다양한 영역에서 활용되고 있으며, 우리의 삶을 향상시키는 데 크게 기여하고 있습니다.

AI$^{Artificial\ Intelligence}$라고 불리는 기술의 토대는 영국의 컴퓨터 과학자인 앨런 튜링$^{Alan\ Turing}$의 「기계는 생각할 수 있는가?」라는 논문에서 시작되었습니다. 튜링은 컴퓨터 프로그램이 인간과 대화를 나누는 테스트(튜링 테스트)를 제안했고, 컴퓨터와 대화를 나누어 컴퓨터의 반응을 인간의 반응과 구별할 수 없다면 컴퓨터가 생각할 수 있다는 것으로 간주해야 한다는 연구였습니다. 즉, 기계가 인간의 언어를 이용해 얼마나 인간답게 대화하는지를 기준으로 지능 여부를 판별하는 실험이었고, 실제로 튜링 시험을 완전히 통과한 컴퓨터는 개발되지 않았지만, 이는 인공지능 연구의 초석이 되었습니다.

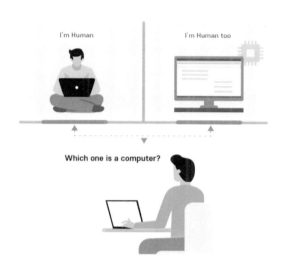

그림 13 튜링의 개념(출처: 한국 정보통신기술협회)

인공지능의 초기 발전은 다소 느린 편이었습니다. 이는 기술적 한계, 컴퓨터의 처리 능력과 데이터의 부족, 그리고 알고리즘의 한계 때문에 발전의 한계를 거듭했습니다. 그러나 21세기에 들어서며, 빅데이터의 출현과 컴퓨팅 파워의 증가, 그리고 신경망 알고리즘의 발전 등으로 인해 인공지능은 급속히 발전하기 시작했습니다. 특히 딥러닝이라는 기술이 등장하면서, 인공지능은 이미지 인식, 음성 인식, 자연어 처리 등 여러 분야에서 뛰어난 성과를 보이기 시작했습니다.

그림 14 이세돌과 알파고 경기(출처: Google Blog)

2016년, 인공지능의 역사에 선을 그은 순간이 찾아왔습니다. Google의 딥마인드가 개발한 '알파고'가 세계 챔피언 이세돌 9단을 이기는 일이 발생했습니다. 이는 인공지능이 복잡한 보드게임인 바둑에서도 인간을 능가할 수 있다는 것을 증명한 사건이었고, 우리는 새로운 시대가 올 것이라는 사실을 직감할 수 있었습니다. 이후에도 자율주행차(예, 테슬라의 오토파일럿 등), 인공지능 비서, 챗봇 상담 등과 같은 서비스들이 속속 등장하면서 AI시대의 새로운 개막을 알렸습니다.

그리고 등장한 OpenAI의 ChatGPT. 이 서비스는 자연어(Natural Language) 처리 분야에서 가장 성공적인 인공지능 모델 중 하나로, 대화 생성, 전문용어해독, 문장 생성, 번역/통역, 요약 등 다양한 작업을 수행할 수 있습니다. 특히 GPT는 인공지능의 역사에서 중요한 이정표로, 그 크기와 복잡성, 그리고 다양한 작업에서의 능력을 통해 인공지능의 가능성을 보여주었습니다.

그림 15 ChatGPT(출처: OpenAI)

모든 사람을 놀라게 만든 ChatGPT는 다른 유명 플랫폼과는 비교도 안 될 정도의 속도로 가입자(사용자)를 끌어모았습니다. 단 5일 만에 100만 명의 사용자가 이 서비스에 가입했고, 많은 사람은 이 서비스의 잠재력을 빠르게 받아들여 다양한 용도로 활용하며 주목받기 시작했습니다.

2023년, AI의 시대가 우리 일상에 성큼 다가왔습니다. 공영방송을 포함하여 각종 미디어채널에서 생성형 AI 또는 ChatGPT와 관련한 내용을 끊임없이 송출하였고, AI 기술패권을 잡기 위해 기업들은 GPT기술을 활용한 새로운 플랫폼과 서비스 발표를 이어가고 있습니다.

그 중 한국에서는 '뤼튼(wrtn.ai)'이라는 서비스가 150억 규모의 투자를 유치하며 AI 스타트업 중 독보적인 선두 위치를 확고히 했습니다. 생성형 AI포탈로 성장하겠다는 뤼튼은 모든 서비스를 무료로 제공하여 글쓰기를 시작으로 사용자들이 비지니스, 일상 등에서 활용 가능한 부분을 정형화시켜 쉽게 사용할 수 있도록 서비스를 제공하고 있습니다.(2023년 1월 18일부로 부분 유료화 전환하였다가 12월 20일부로 전

면 무료화 전환)

Pika Labs

그림 16 이미지, 음악 생성형 AI(출처: 각사 홈페이지)

뿐만 아니라 해외에서는 더 많은 생성형 AI 서비스들이 출시되며 성공적인 투자유치를 이루어내고 있습니다. 영상 제작 서비스(Text to Video) Pika는 창립 7개월 만에 700억 원 이상의 투자를 받았고, Runway는 1800억 원 이상의 투자를 유치했습니다. 이렇게 ChatGPT 와 같은 Text 기반의 AI뿐만 아니라, 영상, 음악을 생성해 내는 서비스들 이 사용자들과 투자자들의 주목을 받으며 빠르게 성장하고 있습니다.

인공지능의 동향

인공지능 기술의 발전은 멈추지 않고 계속해서 새로운 지평을 열 고 있습니다. Open AI는 2023년 11월, 이전 버전보다 한층 더 강력해진 GPT-4 Turbo를 선보였습니다. 2024년 1월에는 애플의 App Store나 안 드로이드의 Play Store와 같은 GPT 스토어의 출시로, AI 기술의 민주화 가 한층 더 가속화되었습니다. 이는 별도의 코딩 없이 누구나 ChatGPT 에 프롬프트를 입력하여 맞춤형 챗봇인 'GPTs'를 만들고, 이를 전 세계 사용자들과 공유하며 수익을 창출할 수 있는 기회를 얻게 되었습니다. OpenAI의 이러한 움직임은 GPT기술을 기반으로 한 생태계를 구축하려는 그들의 전략을 분명히 보여주며, 궁극적으로 인공지능의 범용성을 넓히고, 기술적 장벽을 낮추어 모든 이들이 AI의 혜택을 누릴 수 있는 미래를 향한 중요한 발걸음이 되었습니다. 이어서 2024년 2월에는 단 1분 만에 고품질의 영상을 생성해내는 획기적인 AI 모델인 Sora를 공개하여 많은 이들을 깜짝 놀라게 했습니다. 뿐만 아니라, 업계에서는 GPT-4를 능가하는 차세대 모델인 GPT-5의 출시 소식이 들려오고 있어 인공지능 기술의 미래에 대한 기대감이 더욱 높아지고 있습니다.

Google은 2023년 12월, GPT-4를 뛰어넘는 멀티모달 추론 능력을 갖춘 생성형 AI 서비스인 '제미나이(Gemini)'를 발표했고, 2024년 2월 기존에 제공했던 인공지능 바드와 제미나이의 두 가지 명칭을 제미나이로 통일했습니다.

Microsoft는 최신 버전인 GPT-4 Turbo를 탑재한 Copilot 서비스를 무료로 제공하기 시작했습니다(단, Copilot Pro는 유료). 또한, 이를 MS365에 통합하여 사용자들이 더욱 효과적으로 서비스를 활용할 수 있도록 하였습니다. 이를 통해 Microsoft는 생산성 향상과 업무 효율성 증대를 위한 혁신적인 솔루션을 제시하고 있습니다.

삼성은 갤럭시S24 시리즈, 갤럭시북4에 AI를 탑재하기로 하며 온디바이스AI[3]시대를 열었습니다. 또한 휴메인이라는 회사에서는 내 손안의 작은 AI인 AI핀[AI Pin]을 공개하였습니다. 가슴에 탈부착 가능한 작은 기기로, 빔을 손바닥에 쏘아 시간이나 문자를 보여주고, 손짓으로 전화나 메시지를 작성할 수 있습니다.

3　인공지능 기술이 사용자의 기기 내에서 직접 동작하는 것을 말합니다. 이로 인해 데이터를 외부 서버로 보내지 않고 기기 자체에서 처리하므로 보안과 속도가 향상되며, 스마트폰 내에서 음성 인식, 사진 분석과 같은 기능을 사용할 수 있습니다.

끝으로 AI 에이전트라는 개념이 언급되기 시작하면서 비즈니스와 사회 전체를 혁신할 것이라는 예견도 나오고 있습니다. 특히 Microsoft 창업자 빌 게이츠는 5년 내로 "AI 에이전트에게 말만 하면 모든 작업을 처리할 수 있으며, 개인의 생활부터 비지니스, 사회까지 혁신할 것"이라고 말하며, 컴퓨터를 사용하는 방식이 완전히 바뀔 것이라고 말했습니다. 그리고 이제는 이러한 AI는 코딩이나 전문지식 없이 클릭 몇 번으로 모든 것을 가능하게 할 수 있게 될 것입니다. 또한 그는 "언젠가는 인간이 그렇게 열심히 일할 필요가 없는 때가 올 수 있을 것이고, 일주일에 사흘만 일하면 되는 사회가 될 수 있다"라고 말했습니다. JP모건의 최고경영자 제이미 다이먼Jamie Dimon도 "미래세대는 일주일의 3일 반만 일하게 될 것"이라고 언급한 바 있습니다.

인공지능과 함께하는 일상은 매우 가까이 다가왔습니다. 앞으로는 자연스럽게 인공지능이 일상에 녹아 들며 더 이상 강조할 필요가 없어지면서 AI라는 용어가 자연스럽게 우리 인식에서 일상적인 것으로 받아들여질 것입니다.

초거대 AI가 가져올 변화의 시작점에 서 있는 지금, 이 기술이 어떻게 발전하고 변화하는지 주의 깊게 관찰하고, 그 영향을 신중하게 고민해야 할 시점입니다. 우리 모두가 AI의 진화 과정을 지켜보며, 이러한 기술이 우리 삶에 미치는 긍정적인 영향을 최대한 활용할 필요가 있습니다. 특히 마흔살이라는 중요한 인생의 전환점에서, AI를 통해 새로운 기회를 모색하고, 자신만의 경로를 개척하는 것은 미래를 준비하는 중요한 단계가 될 것입니다. AI와 함께 성장하고 변화하는 우리의 미래는 이제 막 펼쳐지고 있으며, 그 속에서 우리 각자가 자신만의 가치와 기회를 찾아낼 것으로 기대됩니다.

2. 대화형 인공지능의 패러다임

혁명적 기술의 출현

그림 17 제1~4차 산업혁명(출처: 한국정보통신기술협회)

증기기관의 발명은 기계화 혁명을 주도했고, 전기와 내연기관의 등장은 대량생산 혁명의 서막을 열었습니다. 그리고 컴퓨터와 인터넷의 발명은 우리가 지금 살고 있는 디지털 혁명의 시대를 가져왔다면, AI와 ChatGPT는 지능화 혁명을 가져왔다고 가히 말할 수 있을 것입니다.

2022년 11월 30일, ChatGPT의 등장과 함께 전문가들의 전유물로만 생각했던 AI라는 기술은 일반인들이 쉽게 접근할 수 있는 기술로 재해석되었습니다. 즉, 현실의 기술로서 인식하기 시작하였습니다. 이로 인해 '언어혁명', '지적혁명', 심지어 새로운 '산업혁명'이라고 불리며 저명한 기업인부터 일반인들의 입까지 오르내리고 있습니다.

빌 게이츠[Bill Gates]는 "내 인생에서 가장 혁명적이라고 생각한 두가지 기술은 윈도우 그래픽 유저 인터페이스, OpenAI팀의 인공지능이었습니다"라고 말할 정도로 그 혁신성은 모두를 충분히 놀라게 했습니다. 이후에 Microsoft의 Copilot, Google의 Bard, 앤트로픽의 클로드2, 네이버의 클로바X 등 LLM(Large Language Model) 을 사용한 다양한 서비스들이 ChatGPT 출시 이후 계속해서 등장하고 있습니다.

그림 18 한국어 특화 GPT(출처: 네이버클라우드)

국내 기업들도 이 움직임에 뒤쳐지지 않으며 자체 개발한 한국어 기반의 인공지능 언어모델을 연이어 공개하고 있습니다. LG의 '엑사원 2.0', 엔씨소프트의 '바르코', 그리고 카카오에서는 '코(ko)GPT 2.0'를, 네이버에서는 '하이퍼클로바X'를 출시하며 시장 장악에 박차를 가하고 있습니다.

국내 검색시장을 지배하고 있는 네이버는 한국어 모델 기반의 서비스를 출시하여 AI시장에서도 그 역할을 공고히 하고자 합니다. 하이퍼 클로바X라는 생성형 AI서비스를 출시하였고, 한국어에 최적화되었다는 것이 이 서비스의 장점입니다.(유일하게 hwp파일을 읽어낼 수 있습니다.)

그림 19 네이버 Cue(출처: 네이버 클라우드)

그 중 네이버는 ChatGPT와 유사한 ClovaX라는 서비스, 큐:(Cue:)라고 불리는 인공지능 기반 검색서비스를 출시했습니다. 이는 인공지능 기반의 검색엔진이며, 사용자의 의도를 파악하고 이에 맞는 결과를 제공합니다. 또한 단순 텍스트의 결과물이 아니라, 네이버의 서비스와 연계되어 여행, 쇼핑, 숙박 등 다양한 정보를 함께 제공해 줍니다.

이러한 서비스는 논문 작성, 프로그래밍, 언어 번역 및 교정, 콘텐츠 제작 등 다양한 영역에 활용 가능합니다.

논문작성: 초록 요약, 창의적인 제목 제안, 실험 결과 논의, 목차 작성, 향후 연구 아이디어 제안, 특정 주제에 대한 글 작성, 문법 교정, 번역 등

프로그래밍: 프로그래밍 코드 작성, 주석 추가, 오류 찾기, 에러 확인/수정 등

언어 번역 및 교정: 정교한 번역과 문법 교정, 다양한 문장 생성

콘텐츠 제작: 영화 시나리오, 광고 문구, 소설, 노래 가사, 계약서, 제안서, 강의 자료 등 창의적인 제작

이러한 변화는 기술이 사람들의 생활과 사회, 문화에 어떻게 녹아들 수 있는지를 보여주는 중요한 시사점을 제공합니다. 이는 단순히 기계와 숫자의 세계가 아니라, 인간의 언어와 사고, 심지어는 감성까지 연결된 새로운 세상의 시작입니다.

ChatGPT의 원리

ChatGPT는 인공지능 기업 OpenAI에서 만든 서비스입니다. GPT는 강력한 언어 모델로, 간단하게 말하면 컴퓨터가 사람처럼 말하게 만드는 도구입니다. ChatGPT가 이처럼 놀라운 혁신을 가져온 배경에는 그 기술적 요소인 GPT가 있습니다. GPT는 Generative Pre-trained

Transformer의 약자로, '생성형', '사전 훈련된', '변환기'라는 의미를 가집니다. 이것들을 조금 더 풀어 설명하자면,

생성형: GPT는 단어나 문장을 새로 만들 수 있습니다.

사전 훈련된: 이미 많은 양의 텍스트를 미리 학습했습니다.

변환기: 특별한 방법을 사용하여 문장을 만들고 이해합니다.

쉽게 말해, GPT는 사람처럼 언어를 사용하고, 많은 양의 인터넷 정보를 학습하여, 문장을 만들고 이해하는 방법을 알고 있는 컴퓨터 프로그램입니다. 조금 더 자세히 설명하면, 사람과 유사한 언어 패턴을 갖추어 인터넷에 존재하는 방대한 양의 정보를 학습하고, 문맥에 적합한 단어를 선택하는 언어 모델입니다.

여기서 머리 역할을 하는 알고리즘인 트랜스포머는 언어모델인데, 이는 Google에서 2017년에 공개한 번역 모델 알고리즘으로 문장 속의 단어와 같은 순차적인 데이터 내의 관계를 추적해(텍스트 간 연관성과 추론을 가능하게 함) 맥락과 의미를 학습하는 기술입니다. 이로 인해 ChatGPT는 이전에 말했던 내용을 기억하고 오류를 수정하는 능력에서 큰 차별점이 있습니다. GPT와 같은 모델을 파운데이션 모델^{Foundation Model}이라고 부르며 그림에서 보이는 것처럼 텍스트, 이미지, 목소리 등의 데이터를 학습한 이후에 이를 다양한 형태로 사용자에게 제공해줄 수 있게 됩니다.

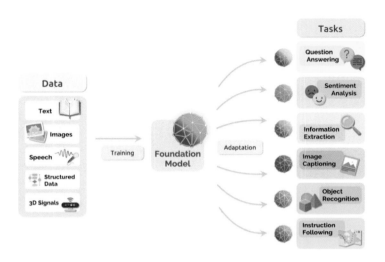

그림 20 Foundation Models(출처: Rishi Bommasani, On the Opportunities and Risks of Foundation Models (2022), p6)

GPT는 현재 버전 1부터 4까지 존재하며, 기본적으로는 같은 구조를 사용하지만 버전에 따라 사용하는 '파라미터(매개변수)'가 다르며 개수가 많을수록 AI가 언어를 배우고 파악하는 성능이 향상됩니다.

버전이 올라감에 따라서 GPT의 성능이 좋아지고 GPT-3는 1.76억개의 파라미터를 사용하고 있습니다. GPT-4는 OpenAI사에서 공개하지 않아서 현재는 알 수 없지만, 더 많은 파라미터를 사용했을 것으로 예측하고 있습니다.

특히 GPT-4에서는 '멀티모달'(Multi Modal)이라는 기능이 추가되었는데 이는 텍스트를 넘어 이미지, 음성, 동영상 등 다양한 형태의 데이터를 모두 인식할 수 있는 기능입니다. 쉽게 말해서 글이 아닌 다른 형태의 데이터를 읽어내고 생성할 수 있는 인공지능을 말합니다.

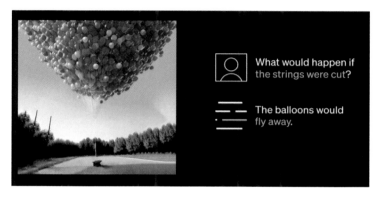

그림 21 멀티모달의 예(출처: OpenAI)

그림과 같이 "풍선을 잘랐을 때 무슨 일이 생길 것 같아?"라고 질문했을 때, GPT는 날아간다고 답을 하고 있습니다. 즉, GPT에는 이미지를 보고 해석할 수 있는 능력이 생겼습니다. 그렇다면 ChatGPT는 어떻게 내가 질문한 내용을 정확하게 알아듣고 답변을 해줄까요?

'나는 오늘 아침을'까지의 문장이 있다고 가정했을 때, GPT는 문맥에 따른 확률 기반으로 다음 문장을 생성해내게 됩니다.

그래서 '나는 오늘 아침을 먹었습니다.'라는 문장이 생성되며, 동일하게 '나는 책을'이라는 미완성 문장에서 문맥 파악 후 확률을 기반으로 '읽었습니다.'라 마지막 문장이 생성되게 됩니다. 결국 GPT는 문장에 들어올 수 있는 다양한 답변들 중에서 확률을 기반으로 한 문장을 생성하여 제공해 주는 것이 그 원리입니다. 이러한 ChatGPT의 가장 큰 특징은 결과값의 형식이 정해져 있지 않기 때문에 주어진 텍스트를 이용하여 다양한 결과물을 만들어낼 수 있으며, 사용자의 질문 혹은 지시문에 담긴 '의도'를 잘 파악하여, 주어진 의도에 알맞은 결과를 보여준다는 것이 그 특징입니다.

이제는 질문의 시대

ChatGPT의 등장은 검색의 시대가 저물어가고 이제 질문의 시대가 도래하고 있음을 예고한다고 예측할 수 있습니다. 지금까지 사용자는 정형화되어 있는 결과물들을 검색 키워드를 통해서 찾았고, 원하는 결과물을 얻기 위해 다양한 키워드를 입력하고, 정형화된 결과물을 탐색했습니다.

구분	인공지능 활용	검색 엔진
인공지능의 기술 측면	언어모델을 사용한 답변 생성	키워드 검색, 페이지 랭킹을 통한 정보 제공
생산성의 측면	질문에 대한 다켓팅 답변 제공	광범위한 정보 제공(검색된 결과물에 한정된 결과 제공)
상호작용의 측면	대화형 인터페이스, 개인화된 경험	단일 질의응답, 일반적인 정보접근
질의 및 컨텍스트 이해도	질문의 의도와 문맥을 분석	키워드 중심의 검색, 문맥 분석 불가
사용자의 역할	대화 주체, 지속적 상호작용 가능	검색어 입력, 단방향 정보 탐색

검색엔진의 강력한 능력은 모든 정보를 우리 손끝에서 얻을 수 있게

만들어줬습니다. 1조 9,000억 달러에 이르는 Google의 기업가치와 34 조 원에 이르는 네이버의 기업 가치는 기존 검색엔진이 우리 삶에 미치는 거대한 영향을 반증합니다.

그러나, GPT의 등장은 새로운 변화의 바람을 일으키고 있습니다. 이제 사용자는 복잡한 검색 과정을 거치지 않고도 질문만으로 원하는 정보를 생성해 얻을 수 있습니다. 이것은 검색의 단계를 혁신적으로 단축시키는 동시에, 검색의 경험을 더 인간적이고 편리하게 만듭니다. 물론, 아직 정보의 정확성과 관련된 문제가 남아 있지만, 기술의 빠른 발전을 본다면 이 문제 또한 곧 해결될 것으로 보입니다.

더 이상 정보를 찾아다니며 시간을 보내지 않아도 됩니다. 질문이면 충분합니다. GPT와 같은 기술의 발전은 우리의 생활 방식을 재구성하고, 정보 접근의 새로운 장을 열고 있는 것입니다.

3. 대화형 인공지능의 종류

생성형 인공지능을 둘러싼 글로벌 기업들의 경쟁이 숨가쁘게 진행되고 있습니다. ChatGPT를 시작으로 Microsoft의 Copilot, Google의 Gemini, 엔트로픽의 클로드3 등의 서비스가 출시되었고, 이 밖에도 다른 언어모델을 활용한 다양한 서비스들이 개발되고 있습니다.

	ChatGPT	MS Copilot	Google Gemini	Claude3
가격	무료 / 월 $20	무료	무료 / 월 $19.99	무료 / 월 $20
훈련데이터의 한계	GPT3.5, GPT4 : 2021.09 GPT4 Turbo : 2023.04	실시간 검색	실시간 검색	2023.08
특징	매끄럽고 인간다운 대화능력 (구체적, 창의적) 코딩 및 데이터 분석능력 우수	최신 정보를 기반으로한 높은 정확성, 출처 제공	빠른 검색 및 응답속도, 높은 정확성과 최신정보 및 출처 제공	수백 페이지 분량의 정보를 한번에 처리 가능 뛰어난 성능 (정확도, 속도, 지능 등)

이러한 서비스들은 각기 다른 특성을 지니고 있습니다. ChatGPT는 인간과 같은 부드러운 대화 능력이 가장 큰 장점입니다. 복잡한 추론과 창의적인 작업에 탁월하여 다양한 주제에 대한 이해와 설명 능력이 뛰어납니다. 또한 코드 인터프리터가 탑재되어 있어, 데이터 분석이나 코딩에 높은 성능을 보입니다.

Copilot은 Microsoft가 개발한 강력한 검색엔진을 활용하여 실용적이고 정확한 정보를 제공하는 것이 특징입니다. 단순히 답을 주는 것이 아니라, 해당 정보의 원본을 함께 제공하여 신뢰성을 높입니다. 하지만 이런 실용성을 위해 대화 형태의 창의성은 다소 떨어지는 경향이 있습니다. 간결하지만 정확한 답변을 원한다면, Copilot이 적합한 선택지일 수 있습니다.

Google Gemini는 울트라, 프로, 나노 등 세 가지 버전으로 출시되었으며, Google의 방대한 지식 그래프와 검색 알고리즘을 바탕으로 대화형 AI를 서비스하고 있습니다. 강력한 추론과 창의적 작업이 가능하여 텍스트, 이미지, 코드 등 다양한 요구사항을 빠르게 이해하고 응답할 수 있습니다.

엔트로픽의 클로드3는 수백 쪽에 달하는 책이나 논문을 통째로 업로드할 수 있다는 장점이 있습니다. 현존하는 최강의 인공지능이라고 주장하고 있으며, 가장 많은 양의 데이터를 한번에 학습이 가능하고 정확도가 높은 것이 장점입니다.

결론적으로, 대화형 인공지능 서비스는 각각의 목적과 상황에 따라 다르게 활용될 수 있습니다. 다양한 옵션 중에서 자신의 목적과 상황에 맞는 서비스를 선택하는 것이 중요합니다.

4. 생성형 AI, 내 인생의 새로운 파트너

생성형 AI의 정의와 특징

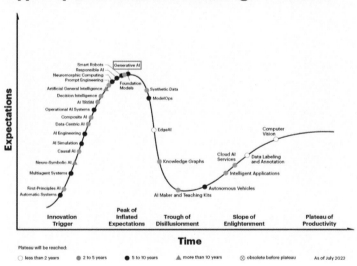

그림 22 Gartner Hype Cycle(출처: Gartner)

ChatGPT가 언급될 때 반드시 다뤄야 할 주제가 있다면 Generative AI, 즉 생성형 AI입니다. 생성형 AI는 현재 기술 분야에서 가장 뜨거운 이슈 중 하나로 떠오르고 있습니다. 2023년 Gartner Hype Cycle™에서도 생성형 AI는 가장 주목받아야 할 기술 중 하나로 지목되었으며, 「MIT 테크놀로지 리뷰」에서 발표한 2023년 가장 주목할 10대 미래기술 중 하나에 생성형 AI가 포함되어 있습니다. 그만큼 이 기술이 혁신적인 가치와 잠재력을 가지고 있다는 것을 의미합니다. 그리고 이는 인공지능의 새로운 지평을 연 기술입니다. 이처럼 생성형 AI는 다양한 영역에서 그 역할을 할 수 있습니다.

그림 23 생성형 AI 어플리케이션(출처: SEQUOIA)

이미지: Midjourney나 StableDiffusion, DALL·E 3 등 다양한 생성형 AI 도구는 자연어(즉, 인간의 언어)를 입력받아 그림을 생성하는 데 사용할 수 있습니다. 엘비스 코스튬을 입은 토끼가 자켓을 입고 스키를 타고 있는 이미지를 원한다고 말하면 눈앞에 그 이미지(또는 그와 비슷한 이미지)가 나타나는 것을 지켜볼 수 있습니다.

텍스트: Google Gemini, Microsoft Copilot과 같은 다른 생성형 텍

스트 도구도 사용할 수 있습니다. 에세이와 기사부터 희곡, 시, 소설에 이르기까지 모든 글을 작성하는 데 사용할 수 있습니다.

코딩: 기술 지식이 거의 없어도 누구나 쉽게 프로그래밍 코드를 생성할 수 있습니다.

오디오: 사람과 같은 목소리(음성 합성)를 생성하여 컴퓨터가 음악과 음향 효과뿐만 아니라 사람이 한 번도 말한 적이 없는 단어를 말할 수 있게 해줍니다.

비디오: 아직 텍스트나 이미지 생성만큼 발전된 수준은 아니지만, 보고 싶은 내용을 설명하는 것만으로 동영상을 제작하고 편집할 수 있는 도구가 등장하기 시작했습니다.

왜 생성형 AI인가?

생성형 AI의 핵심은 '배우고, 이해하고, 그 결과를 생성한다'라는 점입니다. 이는 AI가 단순히 데이터를 분류하거나 판단하는 것을 넘어, 그 데이터를 이해하고 새로운 콘텐츠를 만들어낼 수 있음을 의미합니다. 생성형 AI는 이전에 배운 데이터와 패턴을 기반으로 새로운 결과물을 창출해내는데, 이를 통해 AI가 '창조'라는 인간의 영역에 발을 들이게 되었습니다.

골드만삭스의 「인공지능이 경제 성장에 미칠 수 있는 잠재적 영향」이라는 분석자료에 의하면 생성형 AI는 3가지 특징을 가지고 있습니다. 첫째는, 전문화 보다는 일반화입니다. 즉, 더 넓은 사용 사례와 더 상호 보완적인 혁신을 가져온다는 점입니다. 둘째는, 설명이 아닌 생성이라는 점입니다. 사람이 만든 결과물과 구별할 수 없는 독창적인 결과물을 생성 가능하다는 것입니다. 셋째는, 기술적이기보다는 접근하기가 쉽다는 점입니다. 기술을 잘 알지 못해도 자연어를 통해서 그 기술을 사용할 수 있다는 점입니다.

생성형 AI의 가능성

- 예술과 디자인

생성형 AI에 의해 예술계와 디자인 영역은 가히 큰 충격을 받았다고 말할 수 있습니다. 이 AI의 등장은 예술가들의 역할과 그들이 창작하는 방식에 대한 근본적인 질문을 던지게 하였습니다. 긍정적인 부분으로는, AI는 빠른 시간 내에 다양하고 창조적인 아이디어를 제시하여, 예술가들의 창작 과정을 지원합니다. 반면, 부정적인 부분으로는 전통적인 예술의 가치와 창작의 정의에 대한 논란이 일기도 하였습니다.

그림 24 스페이스 오페라극장, Jason M. Alen.
(출처: 뉴욕타임즈)

미국 콜로라도주의 미술 대회에 Midjourney로 제작한 그림이 1위를 차지하여 큰 논란이 되었습니다. 게임 디자이너인 제이슨 앨런은 Midjourney를 활용하여 100여개의 그림을 생성했고, 그 중 3개를 골라 인쇄 후 콜로라도주 박람회 '디지털 아트'부분에 제출하였는데, 1위로 당선하게 되었습니다.

이 사례는 긍정과 부정적인 요소들이 충돌하는 사례 중 하나이며 그의 성공이 기술의 발전과 예술의 경계가 모호해지고 있음을 보여줍니다. 그러나, 생성형 AI의 등장은 단순히 기술적인 면에서의 발전만을 의미하는 것은 아닙니다. 이는 예술과 디자인 분야에서의 혁신적인 방식으로의 접근과, 예술가들이 자신의 창작물을 표현하는 방식에 대한 새로운 시각을 제공합니다.

생성형 AI의 이러한 가능성은 그림 및 디자인뿐만 아니라, 조각, 영상, 미디어 아트 등 다양한 예술 분야에서도 확인될 수 있습니다. AI가 우리의 창의성과 창조성을 지원하고 확장하는 파트너로 진화하면서, AI와 인간의 협업이 더욱 중요해지고 있습니다. 이 협업을 통해 우리는 더욱 다양하고 혁신적인 예술 작품을 기대할 수 있을 것입니다.

- 컨텐츠 생산

1. 방송 컨텐츠

생성형 AI의 시대에는 지금까지 우리가 상상만 했던 일들을 가능케 만들어줍니다. MBC에 입사한 AI PD인 '엠파고'는 캐스팅, 연출, 영상 편집 등의 업무를 담당하며, 실제 PD는 기획을 맡습니다. 이를 통해 연출 등의 부분을 기술로 대체할 수 있음을 보여주는 사례로 주목받았습니다.

그림 25 PD가 사라졌다(출처: MBC)

PD가 사라졌다! 프로그램은 2024년 상반기에 방송 예정으로 제작 중입니다.

2. 광고 컨텐츠

그림 26 AI 광고(출처: 코카콜라, 삼성생명 YouTube)

올해 3월, 코카콜라는 인공지능을 활용한 창의적인 AI 광고를 선보였습니다. 이 광고는 '스테이블 디퓨전(Stable Diffusion)'이라는 기술로 제작되었다는 것이 알려졌습니다. 또한 국내에서는 삼성생명에서 AI 로만 제작한 광고를 선보였습니다. 마케팅 분야에서도 생성형 AI의 활용이 더욱 활발해질 것으로 보이며, 기업들이 아이디어를 빠르게 테스트하고 실행할 수 있는 도구로 자리 잡을 것입니다. 다양한 AI를 활용한 광고 사례들이 앞으로 등장할 것이라 예상되며, 우리는 흥미로운 변화를 기대하고 있습니다.

3. 음악 작곡

음원 시장에도 생성형 AI의 기술 격전지로 예상됩니다. 크리에이터 이코노미가 확장되면서 동영상 콘텐츠의 폭발적 증가에 발맞추어 배경음악에 대한 수요도 함께 증가하고 있습니다. 전 세계 음반 시장이 2023년 기준 34조 원으로 형성되어 있는데, 생성형 AI에 의해 더 큰 성장이 이루어질 것으로 예상됩니다. Meta의 AudioCraft, Google의 MusicLM 를 비롯하여 Stable Audio, 국내에는 포자랩스, 가우디오랩 등 앞으로 사용자가 원하는 Text(맥락)에 기반한 풍부한 사운드를 만들어낼 것으로 예상됩니다.

- 헬스케어

AI의 기술이 인간의 몸에 발생하는 질병도 더 빠르고 정확하게 진단할 수 있는 시대가 되었습니다. 특히 한국의 글로벌 헬스케어 기업인 루닛의 AI 영상진단은 100%에 가까운 정확도를 자랑하고 있습니다. 의료진은 이 기술을 통해 폐, 뇌, 유방, 피부 등 단 10초안에 96%이상의 정확도로 검출이 가능합니다.

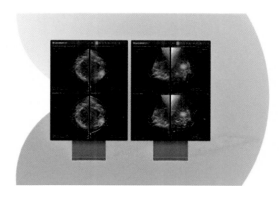

그림 27 AI 영상진단(출처: 루닛)

최근 발표된 「A high-performance neuro prosthesis for speech decoding and avatar control」 논문에 의하면 뇌졸중 환자에게 AI기술을 통해(뇌 임플란트) 말과 표정, 몸짓까지 디지털 아바타로 표현해낼 수 있게 되었습니다. AI 기술은 단순히 진단과 검진의 영역을 넘어서서 뇌 신호를 음성화하며 뇌와 컴퓨터를 연결시키는 영역까지 확대되고 있습니다.

5. 인공지능 사용 가이드

ChatGPT 가입하기

01. chat.openai.com링크로 접속합니다. 아이디가 있는 경우 [Log in]을 선택하고, 만약 없는 경우 ❶[Sign up]을 선택하여 가입절차를 시작합니다. 이후 ❷Google, Microsoft, Apple 계정으로 가입을 진행합니다.

ChatGPT와의 새로운 대화를 시작하기 위해서는 ❶을 선택하여 사용할 수 있으며, ❷를 통해 나만의 GPT를 만들거나 다른 회사나 개인이 만들어 놓은 다양한 기능의 GPT를 사용해 볼 수 있습니다.(예. PDF 내용 분석, 그림 그리기, 음악/악보 생성 등) ❸에서는 기존에 GPT와 대화했던 이력을 확인하거나 계속해서 대화를 이어갈 수 있으며, ❹는 GPT의 버전을 선택할 수 있으며 유료버전 사용자만 GPT-4를 선택할 수 있습니다. 마지막으로 ❺는 ChatGPT와 대화할 수 있는 프롬프트 입력 창입니다. 프롬프트[4]는 인공지능과 대화하기 위해 또는 일을 시키기 위해 입력하는 텍스트를 말합니다.

GPT 유료버전과 그 기능

GPT-4 : 추론과 인지능력에 있어서 GPT-4가 확실히 좋은 능력을 발휘합니다. GPT를 적극 사용하고자 하시는 분이시라면 유료 결제를 통

---

4   AI가 수행해야 하는 작업을 설명하는 텍스트

해 더 좋은 결과를 확인해 보시면 좋겠습니다.(매월 $22로 한화로 대략 3만원)

GPTs : ChatGPT 안에 생태계로 구축되면서, 다양한 서비스들이 ChatGPT 생태계 안으로 들어왔습니다. 이는 ChatGPT를 창구로 다른 서비스를 사용할 수 있게 되었고 사용자는 더 이상 개별 사이트에 접속하여 필요한 활동을 할 필요가 없게 되었습니다. 뿐만 아니라 나의 비서 역할을 하는 맞춤형 GPT도 손쉽게 만들 수 있게 되었습니다.

GPT-4는 단순한 텍스트 생성을 넘어서 다양한 기능을 제공합니다. 사용자는 이제 파이썬 코드를 실행하고 해석하는 것이 가능하며, 데이터 시각화와 탐색적 분석을 수행할 수 있습니다. 또한, 이미지를 생성하거나 이미지의 확장자 변경, GIF 생성과 같은 이미지 처리 기능을 사용할 수 있으며, PDF 파일 내의 텍스트 추출도 가능합니다. 이 모든 기능은 사용자의 창의적인 요구를 충족시키고, 다양한 작업을 지원하기 위해 설계되었습니다.

프롬프트 사용법

'알잘딱깔센' 이라고 들어보셨나요? 알아서 잘 딱 깔끔하고 센스 있게를 줄인 말인데 한마디로 '알아서 센스 있게 잘'의 의미를 가지고 있습니다. 우왁굳이라는 인플루언서가 처음 사용하게 되면서 유행하기 시작되었는데, 누군가에게 일을 시킬 때 대충 알려주고 좋은 결과를 기대하기는 당연히 어려울 수밖에 없습니다. 컴퓨터도 예외는 아닙니다.

직장에서 인턴사원 또는 주니어 레벨의 직원에게 무언가를 시킨다고 생각해 보았을 때, 단 한 번의 요청으로 원하는 결과를 얻을 수 없는 것처럼, 몇 번씩 질문과 답이 오가며 원하는 형태로 맞추어 간다고 생각하면 그 예가 적절할 것 같습니다.

따라서 알잘딱깔센한 결과를 얻기 위해서는 '주제', '맥락', '결과 포맷'을 생각하고 질문을 해야 하는데, 아래와 같은 순서를 생각하고 질문한다면 원하는 결과에 도달할 수 있을 것입니다.

사용자의 의도를 명확히 하고 최적의 결과를 얻기 위해서는 여섯 가지 주요 지침을 따라야 합니다.

첫째, 명확한 목적과 역할을 설정합니다. 이는 요청의 이유를 분명히 하고, 구체적인 요구사항을 설명하는 것을 포함합니다. 예를 들어 "이력서 작성해줘" 또는 "스크립트 작성해줘"와 같이 명확하게 요청해야 합니다. 또한 ChatGPT에게 역할을 부여하여 예상되는 행동과 책임을 취할 수 있도록 하는 것도 좋은 방법입니다.(예, 너는 지금부터 전문 아동 심리 상담사로서 나에게 적절한 답변을 제공해 줘야해)

둘째, 주제와 맥락을 자세히 설명합니다. 예를 들어, "A회사에서 B회사로의 이직을 고려 중인데, B회사는 반도체 분야에 있으며, 제품 관리자 포지션을 지원하고 있어"와 같이 상황을 구체적으로 제시합니다.

셋째, 문장의 톤과 스타일을 구체적으로 지정합니다. 예를 들어 "해당 분야의 전문가처럼 전문용어를 사용하여 작성해 줘"와 같이 요청합니다.

넷째, 원하는 결과물의 형식을 사전에 명시합니다. 예를 들어 "A4 한 장 분량으로 작성하고, 글은 구조화해서 작성해 줘"라고 요청합니다. 다섯째, 필요한 경우 예시나 추가적인 상세 정보를 제공합니다. 이는 요청이 더 명확해지도록 도와줍니다. 여섯째, 반복적인 질문을 통해 요청의 의도를 명확히 합니다. 이는 오해의 소지를 줄이고, 요구사항이 정확히 전달되도록 합니다. 이러한 지침들은 효과적인 의사소통을 위한 기반을 마련하며, 원활한 작업 진행과 만족스러운 결과물을 얻는 데 중요합니다.

원하는 결과물을 먼저 생각하고, 질문의 방향성을 설정한 뒤 대화를 이어가면서 원하는 결과물에 점진적으로 수렴해 나가야 합니다. 인턴사원에게 무언가를 시킬 때 완벽한 결과를 얻기 어려운 것처럼, ChatGPT는 거짓정보(Hallucination)를 말하는 경향이 있습니다. 창의를 요하는 결과물이 아니라 정확한 정보가 중요할 때는 사전에 '허위 내용을 말하지 말 것' 또는 '출처를 정확히 밝힐 것'을 요구하는 것도 좋은 방법이될 것입니다.

그림 28 Prompt Generator
(출처: https://prompt-generator.cckn.vercel.app)

위 사이트는 프롬프트 생성을 직관적으로 작성할 수 있도록 돕습니다. 원하는 것을 적고 동작부터 포맷까지 모두 설정하면 하단에 프롬프트 결과물이 나옵니다. 이를 ChatGPT에 복사/붙여넣기를 하시면 사용하는 데 도움이 될 것입니다.

Copilot 가입과 사용

https://copilot.microsoft.com/에 접속하여 Microsoft계정으로 로그인만 하면 바로 사용할 수 있습니다.

그림 29 출처: Microsoft Copilot

Copilot은 IOS와 안드로이드 앱으로도 제공되며, Text 기반의 다양한 요청(질문, 이메일 작성, 요약, 코딩, PDF요약 등)뿐만 아니라, DALL·E 3와 연동되어 이미지 생성 기능도 제공합니다. 별도의 구독비용 없이 GPT-4를 사용해볼 수 있다는 장점이 있습니다.

Claude3 가입과 사용

그림 30 출처: Claude 홈페이지

https://claude.ai/login 접속하여 가입 및 로그인이 가능합니다. Claude 3 Opus의 경우에는 매달 $22의 결제가 필요하며 글쓰기 영역에 있어서는 최고의 성능을 자랑한다고 합니다.

6. 인공지능의 한계와 우려

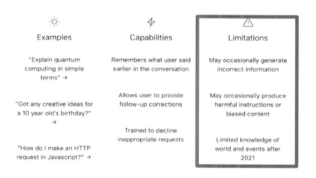

그림 31 ChatGPT의 한계(출처: OpenAI)

ChatGPT와 같은 대화형 인공지능 시스템들은 공통적인 한계를 지니고 있습니다. 2023년 9월에 열린 제 24회 세계지식포럼[World Knowledge Forum]에서 애플의 공동 창업자 스티브 워즈니악 [Stephen Wozniak]은 인공지능이 유발할 수 있는 오류의 심각성을 지적했습니다. 그는 딥페이크, 자율주행차 사고 등 AI 기술의 부작용에 대해 언급하며, 이러한 AI의 '환각' 현상에 대한 인간의 감독이 중요하다고 강조했습니다.

AI의 제한된 능력을 보완하기 위해 새로운 기술들과 다양한 도구들이 개발되고 있습니다. 그러나 이러한 발전에도 불구하고 AI를 사용할 때는 주의를 기울여야 합니다. 우리는 AI를 우리 삶에 적극적으로 통합하면서도, 동시에 이 기술이 가지고 있는 문제점들을 사전에 인식하고, 잠재적인 이슈들에 대해 스스로 예방할 수 있는 능력을 가져야 할 것입니다. 이는 AI 기술이 우리 사회에 긍정적인 영향을 미치면서도, 그로 인한 부정적인 결과를 최소화하는 데 필수적인 접근 방식입니다.

거짓정보(Hallucination)와 데이터 편향

ChatGPT는 사전학습된 데이터만으로 답을 생성하기 때문에 실제 상식과 정확한 사실에 대한 이해가 부족합니다. 특히 정치, 역사, 과학 등의 지식 분야에 있어서는 명백한 오류를 범하는 경우가 잦습니다. 또한, 학습에 사용된 원본 데이터의 편향성(인종, 사회, 경제, 문화 등)이 반영될 가능성이 있습니다.

학습된 데이터도 2023년 4월 이전의 것이며 그 이후의 사건에 대해서는 가지고 있는 정보가 없습니다.

문장 속 단어 등 데이터간 관계 추적을 통해 맥락을 학습하는 신경망으로서 답을 찾아내는 개념이 아니라 관계성을 분석하여 답을 생성하는 형태로 잘못 이해할 경우 잘못된 답이 나올 수 있습니다.(정확한 정보를 추려 답을 '찾는' 것이 아니라 관계성을 분석해 답변을 '생성' 하는 구

조)

　대표적인 예로, ChatGPT는 실제로는 존재하지 않는 가공의 인물이나 장소, 역사적 사실에 대해 설명하기도 합니다. 또한 과학적 원리에 대한 설명이 비전문가 수준에 머무르거나 심지어는 틀린 정보를 제공하는 경우도 많습니다. 이는 인간 전문가가 확인하고 정정해주지 않는 이상 ChatGPT의 답변을 100% 믿기 어려운 한계점입니다.

　2023년 5월 미국의 한 변호사가 ChatGPT가 제공해 준 판례를 법정에 제출한 사례가 있었습니다. 그는 "공소시효 지난 항공사건 기각하면 안된다"와 비슷한 판례를 ChatGPT에게 찾아달라고 요청했고 제공받은 자료를 판사에게 제출했습니다. GPT를 통해 자료를 제출한 것은 잘못된 것이 아니지만, 제출한 자료 중 일부가 거짓 판례로 드러남으로써 결국 5,000달러의 벌금을 물게 되었습니다. 사람이 꼭 최종 판단을 해야 하는 이유입니다.

저작권 문제

　사진, 그림, 소설, 시, 논문, 음악 등 다양한 컨텐츠를 생성해 낼 수 있는 인공지능의 결과물에 대한 권리는 누구에게 있을까요? 현행 저작권법은 인간의 사상 또는 감정을 표현한 창작물(저작권법 제2조 제1호)을 '저작물'로, '저작물을 창작한 자'를(저작권법 제2조 제2호) '저작자'로 정의하고 있습니다. 창작물과 저작자 모두 인간이 주체가 되고 있기 때문에 사람이 아닌 인공지능의 결과물은 현행 저작권법에 해당되지 않습니다.

　Midjourney나 뤼튼에서는 해당 플랫폼에서 만들어진 결과물의 저작권은 생성한 사용자에게 귀속한다고 명시되어 있지만, 여전히 논란은 사그라지지 않고 있습니다. 왜냐하면 그 결과물은 어떠한 저작물을 혹은 데이터를 학습한 결과로 만들어졌을 것이기 때문입니다. 예를 들어, 뉴욕타임즈는 OpenAI와 Microsoft가 자신들의 기사를 적절한 보상 없이 무단으로 사용해 학습했다며 수조 원 규모의 소송을 제기했습니다.

2023년 8월 19일, 미국 콜롬비아 지방법원은 AI로 만든 작품의 저작권 등록을 거부한 미국 저작권청의 결정을 인정한다는 판결을 내렸습니다. 이 판결은 저작권이 보호하는 창작물의 경계를 명확히 설정한 판결이었습니다.

저작권법은 인간의 사상 또는 감정을 표현한 창작물에만 적용되며, 이는 '인간'에 의해 만들어진 것이어야 합니다. 따라서, 생성형 AI가 만든 산출물은 인간의 독창적인 창작물이 아니라고 여겨져 저작권을 인정받지 못합니다. 그러나 저작권이 있는 글을 인용하여 응답한 경우, 그 사용자는 저작권법을 위반할 수 있으며, 인간이 창출한 것이라 할 수 없다는 것입니다.

학습되는 데이터가 여러 유형의 권리에 의해 보호되는데, 이 데이터가 활용되어 2차 생성된 AI창작물이 있기에 이슈가 될 수 있습니다.

저작권 방어 수단으로 국내에서는 AI 부작용을 막기 위해 AI 생성물에 표식을 붙이거나 워터마크를 붙이는 방법을 검토 중이며, 새로운 도구 '나이트쉐이드'와 '글레이즈'가 등장하여, 아티스트들이 동의 없이 사용된 자신의 작품으로 인공지능(AI) 모델을 손상시킬 수 있게 되었습니다.

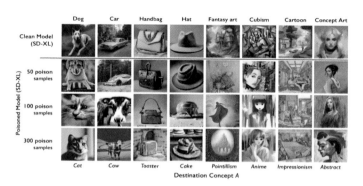

그림 32 나이트쉐이드에 의해 오염된 이미지 샘플의 수에 따라 왜곡된 이미지 비교
(출처: 시카고대학)

이 도구들은 AI 모델이 이미지를 잘못 해석하게 만들어 AI 모델의 무결성을 위협하며, 예술가들에게 자신의 작품을 보호할 수 있는 새로운 방법을 제공하게 되었습니다.

Microsoft에서 생성형 AI(Copilot)을 사용하여 사용자에게 저작권 이슈가 발생한다면 Microsoft에서 법적 위험을 책임질 것이라고 하였고, 어도비도 파이어플라이로 만든 작품에 대해 고객에게 청구되는 저작권료를(IP 면책) 대신 지불한다고 하고 Google 또한 동일한 내용을 발표하였습니다.

이는 생성형 AI에 의한 잠재적 저작권 이슈가 존재한다는 사실을 보여주는 예시이며, 우리 모두가 자유로울 수 없다는 점을 꼭 인식해야 합니다.

윤리의식과 책임감의 결여

마지막으로 ChatGPT에는 윤리와 도덕적 판단 능력이 결여되어 있다는 점입니다. 불법적이거나 윤리적으로 문제가 있는 내용이라도 사용자의 요구에 따라 답변을 생성할 뿐입니다.

따라서 악용될 경우 사회적 위험요소가 될 수 있으며, 이에 대한 대책이 필요합니다. 규제 수준을 조정하고, 윤리 의식을 학습하도록 하는 노력이 동반되어야 ChatGPT가 더 안전한 방향으로 발전할 것입니다.

예를 들어 딥페이크와 같은 기술이 인권 침해나 가짜 뉴스 확산을 조장할 수 있는데, 기술이 고도화됨에 따라 실제 사람과 영상의 차이를 구분하기 어려워졌습니다. 또한 인종, 성별 등에서 차별적이고 편향된 결과가 도출될 수 있는데, 이러한 부분들은 국가와 기업, 그리고 교육을 통해 적절한 대응책을 찾아야 합니다.

보안 위협

생성형 AI를 사용할 때에는 개인정보나 기업의 기밀 정보, 지적 재산권과 관련된 내용을 입력하는 것에 주의해야 합니다. 예를 들어, ChatGPT에 민감한 정보를 입력하면 해당 데이터가 OpenAI로 전송되어 저장됩니다. 최근 ChatGPT는 사용자가 제공한 정보를 학습에 사용하지 않도록 설정할 수 있는 기능을 도입했지만, 여전히 보안 사고로 인해 민감한 정보가 유출될 위험이 존재합니다. 또한, 인공지능 모델 자체가 해킹 공격의 대상이 될 수 있으며, 이로 인해 사용자가 입력한 데이터가 유출될 가능성도 있습니다. 따라서 생성형 AI를 활용할 때는 입력

하는 정보의 성격을 고려하고, 민감한 데이터를 다룰 때는 각별한 주의
가 필요합니다.

4장

생존 전략
기회는 기술을 활용하는 자에게 온다

인공지능(AI)은 우리 시대 가장 큰 변화의 동력 중 하나입니다. AI는 기존 인간의 지능을 대체하기보다는 오히려 보완하고 확장할 것입니다. 문제는 개인과 기업 모두 AI를 얼마나 잘 활용하느냐 하는 것입니다. AI를 제대로 활용할 수 있는 역량을 갖춘 사람과 기업은 그렇지 않은 자들보다 생산성과 효율성 면에서 앞설 것입니다. 결국 AI 시대에서 생존하기 위해서는 AI를 적극적으로 받아들이고, 활용할 수 있는 'AI 리터러시(환경 적응력)'가 필수적입니다.

　기업의 경우, AI 도입만이 목표가 아니라 구성원 모두가 AI를 활용할 수 있도록 교육훈련 체계를 구축하는 것이 중요합니다. AI 활용 역량이 높은 직원을 채용하고, 기존 직원들도 지속적인 역량 향상 프로그램에 참여할 수 있도록 해야 합니다. 개인 또한 AI 시대를 위한 투자는 필수입니다. 특히 우리 아이들 세대는 AI 기술이 보편화되는 세상에서 살아갈 것입니다. 미래의 리더가 되기 위해서는 지금부터 AI 교육에 투자를 아끼지 말아야 합니다.

　많은 우려가 있기는 하지만, AI는 인간의 삶을 더 편리하고 풍요롭게 만들 것입니다. 그리고 그 혜택을 누릴 수 있는 것은 활용 능력을 갖춘 사람에게 한정될 것입니다.

하버드 비지니스스쿨의 카림 라카니[Karim Lakhani] 교수는 "AI는 인간을 대체할 수 없습니다. 하지만 AI를 활용하지 않은 사람은 AI를 활용하는 사람에게 대체 당할 것입니다."라고 말합니다. 라카니 교수의 견해처럼, AI는 인간의 지능을 보완하고 확장할 뿐만 아니라 동시에 생산성과 효율성이 높아져 경쟁력이 생긴다고 합니다.

이는 개인뿐만 아니라 기업의 직원들에게도 적용됩니다. 기업에서는 AI 도입 못지않게 직원들의 AI 역량 강화가 중요합니다. 기업은 AI를 제대로 활용할 수 있는 인재를 채용하고, 기존 직원들도 지속적인 교육을 통해 AI 활용 능력을 키워야 합니다.

AI 시대에 기업의 경쟁력은 '인공지능 활용 능력'에 달려있다고 해도 과언이 아닙니다. 구성원 개개인이 AI를 제대로 활용할 수 있다면, 기업 전체의 시너지는 배가될 것입니다. 반대로 AI 역량이 뒤처지면 어떤 기업도 살아남기 어려울 것입니다.

결국 개인과 기업 모두 AI 시대를 위한 준비는 선택이 아닌 필수입니다. 변화의 물결을 읽고 인공지능을 적극적으로 수용하고 활용할 수 있는 자가 변화의 시대에서 생존자가 될 것입니다. 우리의 일과 커리어, 삶의 질, 자기계발 등에 인공지능을 활용하는 자가 살아남는 AI 시대, 우리는 모두 이 변화를 주도할 생존 전략을 갖춰야 합니다.

지금부터는 생성형 AI 기술이 접목된 다양한 서비스를 살펴보려고 합니다. 업무나 개인의 생산성 향상에 큰 도움이 되길 바랍니다.

1. 나만의 챗봇 만들기(ChatGPT를 활용한 챗봇 개발)

01. https://chat.openai.com에 로그인 후 화면 좌측의 ❶Explore를 선택합니다.(유료버전 사용자만 사용이 가능합니다.)

이후에 오른쪽 화면에 나타난 GPTs에서 ❷[Create]버튼을 선택하여 나만의 챗봇을 만들 수 있는 화면으로 이동합니다.

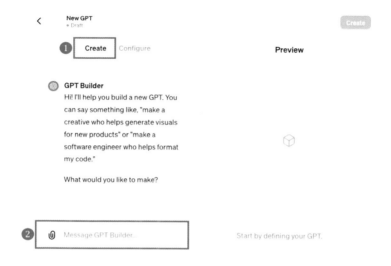

02. GPT에게 만들고 싶은 챗봇에 대한 설명을 자세히 해야 합니다.
❶[Create]를 선택하고 ❷프롬프트를 입력합니다.

예) 다이어트를 도와주는 나만의 PT 선생님이 되어주세요. 식단부터
운동 방법까지 다양한 질문에 대해 답변해 주시고, 운동 스케줄을 만들
어 주세요.

Fitness Coach

Your personal fitness trainer for diet and exercise advice.

Here's the profile picture for your
personal fitness trainer, **Fitness
Coach**. Do you like it, or would you
like any changes?

GPT는 나만의 GPT에 어울리는 아이콘을 제안해 줍니다. 변경을 원

하면 GPT에게 바꿔 달라고 다시 요청합니다.

03. ❶[Configure]에서 추가로 필요한 내용을 입력합니다.

❷챗봇의 이름을 확인하고, ❸챗봇에 대한 설명을 확인합니다. ❹이 챗봇이 해야할 일을 정의합니다. ❺챗봇이 처음 시작할 때, 어떤 질문으로 시작할지 대화문을 정의할 수 있습니다. ❻챗봇이 공부했으면 하는 자료를 업로드합니다. 예를 들어 다이어트 관련 가이드, 전문 문서등을 업로드하면 챗봇이 해당 자료를 기반으로 답변합니다. ❼3가지 기능을 사용할지 여부를 선택합니다. Web Browsing은 웹검색을 통한 답변 기능이고, DALL·E는 이미지 생성 기능합니다. 마지막 Code Interpreter는 사용자가 입력한 프로그래밍 코드를 실행하고 결과를 보여주는 도구입니다.

04. 마지막으로 지금까지 만들었던 챗봇을 저장하거나 다른 사람들에게 공유하는 단계입니다. 오른쪽 상단의 [Create]버튼을 클릭한 후 ❶다른 사람들에게 공유할 링크를 얻거나 ❷GPT Store에 게시할 수 있습니다. 마지막으로 수정된 내용은 ❸[Update]를 통해 반영할 수 있습니다.

2. 생성형 AI 포털 서비스

뤼튼(wrtn.ai)

뤼튼 테크놀로지스의 서비스는 출시한지 7개월 만에 100만 가입자 (2023.09 기준)를 달성할 만큼 많은 사람들의 집중을 받고 있으며, 무료로 사용해 볼 수 있는 장점이 있습니다.

01. ❶에서 GPT-3.5, GPT-4, PaLM2, Claude 2.1등 다양한 언어모델을 무료로 사용할 수 있도록 제공하고 있으며, 직관적인 UI로 누구나 쉽게 AI를 활용해 볼 수 있습니다.

02. 좌측 상단의 ❶[스튜디오]를 선택한 이후에 범용/일반, 블로그, 마케팅 등 만들고 싶은 서비스를 선택합니다. 이후 ❷[새툴/챗봇 만들기]를 클릭하여 툴을 만듭니다.

03. 이후 필요한 정보를 입력하고 1단계~4단계를 마치면 나만의 툴 또는 챗봇이 완성됩니다.

3. AI를 활용한 홈페이지(랜딩페이지) 개발

코딩할 줄 몰라도 아무 문제 없습니다. 생성형 AI의 시대에는 해보고 자 하는 마음만 있다면 우리를 도울 기술은 무궁무진합니다.

다양한 서비스들이 존재하고 지금 이 순간에도 새로운 서비스들이 개발되고 있습니다. 지금 소개하는 사이트는 어쩌면 이후에 없어지거나 더 좋은 서비스가 출시되어 사용하지 않게 될 수도 있습니다. 하지만 꼭 기억해 두셨으면 하는 것은 사용해 보는 것입니다.

Mixo(https://www.mixo.io)

Mixo는 프롬프트로 웹을 만들 수 있는 유료 서비스입니다. 원하는 서비스를 입력했을 때 웹사이트와 사이트 로고 등을 생성해 주고 동시 에 페이지를 사용자의 필요에 따라 수정할 수도 있습니다.

01. 사이트 접속 후 ❶을 선택한 후 ❷원하는 사이트에 대한 설명을
작성합니다.

02. 홈페이지의 목적을 선택하고 [Generate] 버튼을 선택합니다. 이
후 자동으로 홈페이지 로고, 이미지 등 컨텐츠가 생성됩니다.

4. 데이터 분석

ChatGPT는 데이터 분석에 큰 장점을 가지고 있기 때문에 이 기능을 활용한다면 데이터 분석도 어렵지 않게 도전해 볼 수 있습니다. 이 기능은 분석을 처음 접하는 분부터 기존에 분석 업무를 했던 분들에게 놀라움을 전해줄 기능이라고 생각됩니다.

그림 33 데이터 분석 과정(출처: 통계청)

데이터를 분석하기 위해서는 주제 설정(문제정의 및 가설설정)부터 마지막 스토리텔링까지의 과정이 필요합니다. 그 중 데이터 수집 이후에는 데이터 전처리와 데이터 탐색 과정이 필요합니다. 예를 들어 빈 값이 있는지, 데이터 타입이 맞는지, 이상치가 있는지 확인 후 분석하기 좋은 형태로 변경해야 하며, 기본 통계량을 확인하고 시각화를 통해 데이터의 분포나 패턴 등을 파악해야 합니다. 이후 기술 통계, 시각화, 머신러닝 등의 분석을 할 수 있는데, GPT는 이 모든 것을 해낼 수 있습니다.

예를 들어, 어떤 온라인 쇼핑몰의 월별 판매 데이터를 분석하고자 할 때, 자료를 올리고 시각화를 요청하면 그 결과를 보여줍니다. 실제로 내부에서는 아래와 같은 파이썬 코드를 실행하게 되는데, 사용자는 코드 입력 없이 분석을 진행할 수 있습니다.(ChatGPT가 보이지 않는 손으로 코드를 작성하여 결과를 도출해 줍니다.)

```python
# 데이터 불러오기
import pandas as pd
data = pd.read_csv('sales_data.csv')

# 월별 판매량 확인
monthly_sales = data.groupby('month').sum()['sales']
print(monthly_sales)

# 월별 판매량 시각화
import matplotlib.pyplot as plt
monthly_sales.plot(kind='bar')
plt.show()
```

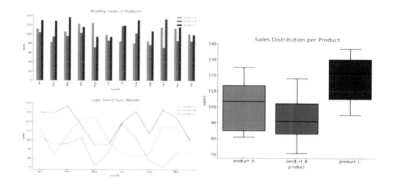

막대그래프, 선 그래프, Box plot 등 다양한 형태로 상품의 판매량을 시각화할 수 있습니다. 또한 머신러닝을 활용한 예측분석도 가능합니다.

이러한 결과를 얻고 싶을 때 사용자에게 요구되는 것은 '질문'하는 것입니다. 데이터를 업로드하고, 분석을 요청하면 알아서 분석을 수행해 줍니다. 잘 모르겠다면, "이 데이터를 확인하고 Insight를 뽑아줘"라고 질문을 해도 좋습니다. ChatGPT는 알아서 데이터를 확인하고 사용자에게 적절한 Insight를 제공해 주게 됩니다.

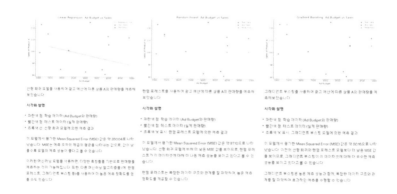

이러한 분석은 어떤 자료에 대한 시각화에 활용할 수 있습니다. 예를 들어, 미세먼지 농도 분석해 줘, 시각화해 줘, OO 회사 주식 데이터의 증가와 이동평균선 차트를 그려줘, 업로드한 자료에 대해서 읽을 수 있는 정보를 그래프로 시각화해 줘, 유의미한 지표를 선정하고 시각화해 달라고 질문하여 답을 얻을 수 있습니다.

그림 34 데이터 학습 비활성화(출처: OpenAI)

만약 회사의 정보가 OpenAI로 넘어가는 것이 우려된다면, 설정에 들어가서 Chat History & training 부분을 비활성화 시켜줍니다. 추가적인 팁으로는 Google의 Colab과 ChatGPT를 혼용하여 데이터 분석을 진행하는 방법도 있습니다. ChatGPT에서 필요한 파이썬 코드를 얻고, 코드와 함께 실제 데이터를 Colab에서 실행시키는 방법입니다.

5. 언어학습

언어학습에 있어 가장 중요한 원리는 입력(input), 출력(output), 피드백(feedback)입니다. 우선 다양한 문장과 자연스러운 언어를 입력받는 것이 중요합니다. 또한 직접 문장을 만들거나 번역하는 등 출력을 해보는 것도 필요합니다. 마지막으로 잘못된 점이나 개선을 피드백 받는 것 또한 필수적입니다.

무엇보다 언어는 노출량에 비례합니다. ChatGPT와 같은 서비스는 이 원리를 잘 따르는 개인화된 대화형 학습을 제공합니다. 사용자 수준에 맞는 문장 만들기, 번역, 문법 설명 등을 제공하므로 효과적인 언어학습이 가능합니다.

생성형 AI를 활용한 언어학습 방법을 제안해본다면 다음과 같습니다.

첫째, 일기 쓰기입니다. 매일 간단한 일기를 쓰고 AI가 수정하면 출력과 피드백을 동시에 받을 수 있습니다. 둘째, 작문교정입니다. 직접 문장이나 단문을 쓰고 AI가 문법과 자연스러운 표현을 체크해주면 도움됩니다. 셋째, 문법 질문하기입니다. 궁금한 문법은 언제든 질문하고 예문을 요청하면 이해가 빨라집니다. 넷째, 회화 연습하기입니다. AI와 실제 대화를 연습하면 도움이 됩니다. ChatGPT의 음성 대화를 통해 실제 원어민과 대화하듯 연습할 수 있습니다. 이때 상황별로 대화를 진행할 수 있습니다. 예를 들면, 비행기에서, 택시에서, 공항에서, 관광지에서 등의 상황을 ChatGPT에 제안하고 진행하면 해당하는 상황에 맞는 영어 회화를 연습할 수 있습니다. 일종의 롤플레잉처럼 진행할 수 있습니다.

그림 35 ChatGPT 대화하기(출처: ChatGPT)

최근 OpenAI에서 ChatGPT 대화 기능을 오픈했습니다.(무료 버전도 사용 가능) ChatGPT 앱을 설치한 이후 헤드셋 아이콘을 클릭하면 ChatGPT와 대화가 가능합니다. ChatGPT가 이제 원어민의 역할까지 톡톡히 할 수 있는 서비스가 되어버렸습니다.

6. PPT 생성 자동화

Microsoft의 Copilot Pro는 파워포인트, 엑셀, 워드 문서 작성에 매우 유용한 도구로 손꼽히지만, 먼저 MS365 가입이 필요하며, 여기에 Copilot 구독 비용을 추가해야 하기 때문에 비용이 부담될 수 있습니다. 따라서 그 대체제로 Gamma 서비스를 활용해 볼 수 있습니다.(최초 가입시 크레딧 제공)

Gamma(gamma.app)

01. ❶[Sign up for free]버튼을 통해 가입을 진행합니다. 이후 ❷[새

로 만들기]를 선택합니다.

02. ❶만들고자 하는 방법을 선택합니다. [생성]은 프롬프트를 입력하여 단숨에 만들 수 있는 방법입니다. 이후 [프리젠테이션]을 선택한 후 ❷프롬프트를 입력합니다.(프레젠테이션 외에도 문서나 웹페이지도 생성할 수 있습니다.)

03. ❶에서 페이지 수를 변경할 수 있습니다. 무료는 10개까지 가능합니다. ❷에서 생성된 개요를 확인 및 수정합니다. 완료가 되었으면 ❸ [계속]을 선택하여 슬라이드를 완성시킵니다.

04. 이후 배경을 선택하면 자동으로 슬라이드가 완성된 것을 확인할 수 있습니다.(생성된 페이지는 수정 및 PPT로 저장이 가능합니다)

7. 이미지 생성

이미지 생성을 위한 도구는 계속해서 성장하고 있습니다. 새로운 서비스들이 계속 등장하고 있고, 그 성능도 날이 갈수록 좋아지고 있습니다.

이렇게 많은 이미지 생성 서비스 중에 우리는 어떤 서비스를 사용해야 할까요?

가장 좋은 성능을 보여주는 서비스는 Midjourney이지만, 유료이며 프롬프트 작성이 어려울 수 있으므로 좋은 품질로 빠르게 이미지를 그려보고 싶은 경우에는 좀 더 손쉬운 서비스를 사용하는 것을 추천합니다.

MidJourney(www.midjourney.com)

01. 사이트 접속 후 ❶[Sign In]을 선택하고 가입을 진행합니다. 이후 ❷[승인]을 선택합니다.(미드저니는 디스코드라는 플랫폼 안에서 동작합니다.)

02. MidJourney의 첫 화면으로 진입하게 되는데, ❶아이콘을 선택하여 디스코드를 실행합니다. ❷newbies라는 채널 중 하나를 선택하고 우측에 프롬프트를 입력합니다.(/imagine prompt + 원하는 그림에 대한 설명)

생성 요청을 하게 되면, U1~4, V1~4버튼이 생성된 이미지 하단에 보입니다. 1~4는 생성된 4개 이미지의 번호를 의미하고, U(Upscale)를 통해 해상도를 높일 수 있으며, V(Variation)를 통해 선택된 이미지를 기반으로 4개의 이미지 세트를 추가로 생성합니다.

특별히 Midjourney는 인물, 빛, 질감에 대한 표현을 굉장히 섬세하게 표현할 수 있는 서비스입니다.

Microsoft Bing Creator(https://www.bing.com/create)

Microsoft에서 제공하는 이미지 생성 서비스로, 무료로 사용이 가능합니다. ❶[가입 및 만들기]를 선택 후 가입을 진행합니다. 이후 ❷원하는 이미지에 대한 내용을 작성하면 이미지가 생성됩니다.

DALL·E 3

DALL·E 3는 ChatGPT와 통합되어 사용자가 직접 이미지 프롬프트를 디테일하게 작성하지 않고, ChatGPT와의 대화를 통해 AI 이미지를 손쉽게 만들어낼 수 있습니다. 현재 유료버전 사용자에게만 제공되고 있습니다.

❶GPT-4를 선택하고 ❷원하는 그림을 묘사하는 프롬프트를 작성만 하면 끝입니다. 생성된 이미지의 정보를 얻고 싶다면, Seed_no, Gen_id를 제공해달라고 요청하면 해당 이미지의 상세정보를 제공받을 수 있습니다.

ideogram(https://ideogram.ai)

ideogram은 텍스트 생성에 특장점이 있는 AI 이미지 생성 모델입니다. AI로 이미지를 만들 때 텍스트가 정확하게 삽입되지 않는 경우가 있는데, ideogram을 사용하면, 이런 어려움을 어느정도 해결할 수 있습니다. 해당 서비스는 브랜드 로고를 생성하는데 경쟁력이 있고, 원하는 로고 형태나 컨셉을 구체적으로 작성하면 원하는 디자인에 가까운 결과물을 얻기 용이합니다.

❶가입한 이후, ❷원하는 이미지의 프롬프트를 입력합니다. 이후 ❸ ❹결과물의 형태를 선택하고 [Generate]를 선택하면 이미지가 생성됩니다.

Microsoft 디자이너(https://designer.microsoft.com)

디자인 작업은 전문 디자이너만 할 수 있는 것이 아닙니다. Microsoft 디자이너를 한번 사용해 보면 누구나 일정 수준의 결과물을 만들 수 있습니다.

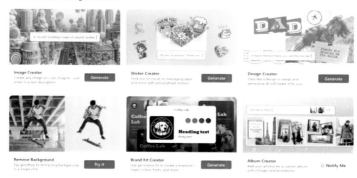

이 서비스는 이미지 생성부터, 배경이나 특정 사물을 지우고 배경을 확장하는 등 다양한 기능을 제공하고 있는데, 다른 서비스에는 없는 디자인 기능이 있어서 특별합니다.

고급 디자인을 만들기에는 어려움이 있지만, 일정 수준의 디자인을 바로 만들고, 저장된 템플릿을 가지고 컨텐츠를 생성하는데 활용할 수 있습니다. 소셜 미디어 게시물부터, 초대장, 디지털 엽서, 그래픽 등과 같은 시각적 이미지를 만들어낼 수 있습니다.

Lasco(https://www.lasco.ai)

무료로 사용할 수 있는 서비스로 네이버 스노우 자회사인 슈퍼랩스가 개발한 국내 서비스입니다. 매일 100 크레딧이 제공되며 매일 리셋(충전)됩니다.

1. ❶이미지에 대한 설명을 작성하고(❷기존 이미지를 업로드 할 수도 있습니다.) ❸❹원하는 스타일을 지정한 후 [Generate]를 선택하면

이미지가 생성됩니다.

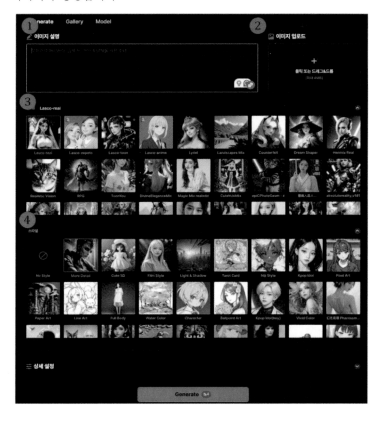

어도비 파이어플라이(https://firefly.adobe.com)

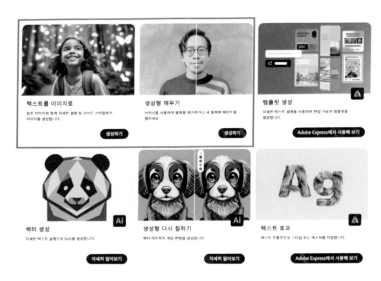

    Adobe에서 제공하는 올인원 컨텐츠 제작 서비스로 웹에서 간편하게 이용 가능합니다.(매월 25 크레딧 제공) 이미지를 새롭게 생성하거나 이미지의 특정 영역을 지우거나 확장하는 기능, 텍스트에 효과를 주거나, 색을 새로 칠하는 등의 기능을 제공합니다.

Runway(https://app.runwayml.com/)

　　Runway에 재미난 기능을 소개하고자 합니다. 모션 브러쉬라는 기능입니다. 업로드된 이미지에서 움직임을 주고 싶은 영역을 브러쉬로 칠하면 해당 부분에 움직임을 줄 수 있습니다.

　　❶간편하게 Google로 가입하신 후에, 좌측에 ❷[Generate Videos]를 선택합니다. 그리고 ❸[Text/Image to Video]를 통해서 해당 화면으로 진입합니다.

　　❶비디오로 변경할 이미지를 업로드하고 ❷붓 모양의 아이콘을 선택합니다. 그리고 ❸움직임을 만들고 싶은 영역을 선택합니다. 이후 [Generate 4s]를 선택하면 움직이는 짧은 영상이 생성됩니다.

Leonardo(https://leonardo.ai/)

Leonardo 서비스는 매일 제공되는 150 토큰 내에서 무료로 이미지를 생성할 수 있습니다.

❶[Create an account]를 선택한 후 ❷자신의 계정으로 가입합니다.

❶[Image Generation]를 선택한 후 ❷만들고자 하는 이미지를 설명하면 원하는 이미지가 생성됩니다.

8. 문서 요약 및 정리

　문서요약은 회사에서 유용하게 사용할 수 있는 도구입니다. 문서를 읽지 않고도 문서 안에 흩어져 있는 정보를 조합하여 나의 질문에 대답해주며 해당 문서를 이해하고 이를 종합하여 답변을 제공해 줍니다. 만약 자료를 찾아보거나 연구를 많이 해야 하는 업무에 해당된다면 아래와 같은 서비스를 사용하여 전체 맥락을 이해하거나 필요한 정보를 손쉽게 찾아낼 수 있습니다.

　위 예시에서 확인할 수 있듯이 수백장에 이르는 PDF의 모든 내용을 읽거나 찾는 것이 어렵기 때문에, AI를 활용하여 내용을 요약하거나 필요한 내용을 질문하는 방법이 더욱 효과적입니다.

서비스 명	주소	장점/단점(무료기준)	용량(무료기준)	비용
ChatPDF	www.chatpdf.com	회원가입 없이 사용 가능 하루 2개 파일 업로드 가능	120 Page	유료/무료
PDF.ai	www.Pdf.ai	하루 1개 파일 업로드 가능 500개 질문 가능	10MB	유료/무료
AskyourPDF	https://askyourpdf.com/ko	하루 1개 파일 업로드 가능 50개 질문 가능	15MB	유료/무료
ChatDOC	https://chatdoc.com/	하루 2개, 최대 10개 업로드 가능 하루 20개 질문, 최대 100개 가능	36MB	유료/무료

현재 다양한 서비스가 출시되었습니다. 어떤 서비스를 써야할지 고민이 될 때 먼저 무료서비스인 Copilot을 사용해 보는 것을 추천합니다.

❶Edge 브라우저에서 PDF파일을 실행합니다. ❷Copilot버튼을 클릭합니다. 이후 ❸Copilot을 선택하여 원하는 질문을 하면 Copilot이 문서 내 자료를 찾아서 성실하게 답변해줍니다.

9. 그밖에 다양한 서비스

9.1 직장인을 위한 업무 비서

웍스(wrks.ai)

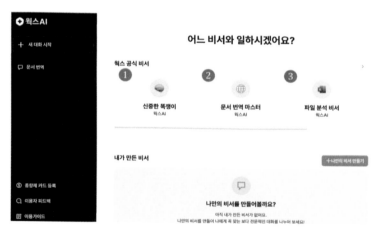

낭비하는 월 구독료가 아닌 사용한 만큼만 지불하는 형태의 웍스,
ChatGPT처럼 무엇이든 물어볼 수 있으며, 다양한 문서를 번역하거나

파일 업로드 후 내용을 분석하는 용도로 사용할 수 있습니다.

❶ChatGPT와 유사한 기능으로 원하는 것을 질문할 수 있고, ❷PDF, 워드 등의 문서 파일을 기존 문서의 형식을 거의 그대로 유지한 채 원하는 형태로 번역을 해주는 기능입니다. ❸엑셀, 워드, PDF와 같은 문서의 내용을 요약, 분석해주는 기능입니다.

9.2 정확한 참고자료 검색

Perplexity(https://www.perplexity.ai)

대화형 인공지능의 거짓 정보에 속기 싫으시다면, Perplexity를 사용하여 원하는 정보를 근거자료와 함께 받을 수 있습니다.

갤럭시S24 온디바이스 AI 리뷰

이 서비스는 기사 읽기, 요약 받기, 질문에 대한 답을 찾는 과정을 더 효율적으로 만들어줍니다. ❷에서 질문한 내용에 대한 답변을 얻을 수 있고, ❶내용의 출처를 확인할 수 있습니다.

9.3 로고 디자인

Brandmark(https://app.brandmark.io/v3/)

상당히 심플하고 좋은 퀄리티의 브랜드 로고를 텍스트로 만들어낼 수 있습니다. 무료는 아니지만 비싸지 않은 금액으로($25 또는 $65)로 사용 가능합니다.

Designs AI(https://designs.ai/)

Design AI도 BrandMark와 유사하게 글을 통해 로고를 만들 수 있습니다. 비용이 발생하지만, 상당히 좋은 퀄리티의 로고를 만들어주는 AI 서비스입니다.

9.5 번역기

딥엘(https://www.deepl.com/translator)

지금까지 Google 번역기 혹은 파파고만 사용해 왔다면, 높은 성능을 자랑하는 인공지능 번역 플랫폼을 한번 사용해 보기를 제안 드립니다.

AI 기술을 기반으로 문맥을 고려하여 사람이 직접 번역한 것과 같은 결과물을 제공해주는 딥엘은 독일의 한 인공지능 회사에서 개발한 번역 플랫폼입니다. 무료버전의 경우 최대 1500자 안에서 텍스트 번역이 가능하며 파일번역의 경우 최대 5MB까지 가능합니다. 유료버전의 경우 무제한 텍스트 번역과 문서 번역의 허용 용량이 증가합니다. ❶파일 번역의 경우 PDF, 워드, 파워포인트, HTML 등 모든 문서 파일의 형식을 그대로 유지하면서 번역된 결과물을 내려 받을 수 있습니다. ❷글쓰기 도우미의 경우에는 Grammarly(유료 번역 프로그램)를 사용하는 것처럼, 작성한 글을 조금 더 개선할 수 있도록 제안해 줍니다.

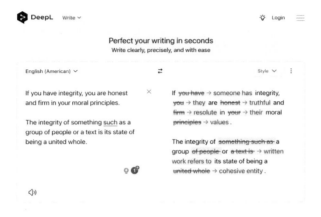

9.6 이미지 편집

Clipdrop(clipdrop.co/tools)

Clipdrop은 무료로 사용할 수 있는 이미지 편집 서비스입니다. 이미지 생성부터, 배경을 지우고, 이미지 바깥쪽으로 확장하거나, 배경을 지우는 등 다양한 기능을 이 사이트에서 모두 해결할 수 있습니다.

9.7 영상, 음성 요약

릴리스(https://lilys.ai/)

릴리스는 원하는 영상의 주소를 입력하면, 요약된 결과를 사용자에게 제공해 줍니다.

영상의 핵심 내용을 제공해주고 동시에 핵심이 되는 부분의 영상과 그 내용에 대해 요점을 잘 정리해주어 영상을 보지 않아도 전체 내용의 맥락을 쉽게 이해할 수 있도록 돕습니다.

두뇌에 터보엔진을 달고 지식을 습득하세요

❶영상의 전체적인 요약을 확인할 수 있고, ❷부분별로 중요한 내용도 추가로 확인할 수 있습니다.

Microsoft Copilot

무료로 사용할 수 있는 서비스로 Microsoft Edge를 사용해볼 수 있습니다. 원하는 영상을 재생하고, 우측의 Copilot을 실행시켜 질문하면 원하는 결과를 얻어낼 수 있습니다.

9.8 목소리 더빙

KT AI Voice Studio(https://aivoicestudio.ai)

KT 오디오 스튜디오를 사용하면 나만의 목소리와 이미 녹음된 다른 사람들의 목소리를 활용하여 내가 원하는 문장을 읽는 목소리 녹음 파일을 만들어낼 수 있습니다.(월 4,000자 내에서 무료로 이용 가능) 또한 내 목소리를 녹음하여 학습시킨 후 입력한 문장이 나의 목소리로 재생

되게 할 수도 있습니다.(나의 목소리는 99,000원의 추가 비용 발생)

Elevenlabs(https://elevenlabs.io/)

ElevenLabs는 고품질의 다양한 보이스를 제공하는 AI 음성 생성기입니다. 발음과 톤이 실제 사람과 유사하여 많은 사용자가 만족하는 서비스입니다.

이러한 도구를 사용하여 오디오북, YouTube 영상, 뉴스 기사 등 다양한 곳에 활용할 수 있습니다.

9.10 음악 생성

Suno(suno.ai)

미국의 스타트업인 SUNO가 개발한 음악생성 서비스로 Microsoft와 협력하여 Copilot에도 동일하게 탑재된 서비스입니다. 텍스트를 입력해 다양한 장르와 스타일의 음악 생성이 가능하고 가사를 직접 입력하거나 생성해낼 수도 있습니다. 매일 10개의 음악을 무료로 생성할 수 있습니다.

Udio(udio.com)

Google의 딥마인드 출신 연구원들로 구성된 스사트업인 유디오가 Suno만큼 놀랄만한 음악 생성 AI서비스를 출시하였습니다.

프롬프트에서 가사, 스토리, 음악장르 등의 음악 생성에 필요한 정보를 입력하면 단숨에 새로운 노래를 생성해 냅니다. 현재는 베타버전으로 무료로 사용이 가능합니다.

5장

중년의 시기에 필요한 행동강령

AI의 일상화는 우리의 창의력과 상상력을 한 차원 높게 발전시켜 주는 계기가 될 것입니다. 하지만 AI를 통한 혁신만이 미래를 대비하는 방법은 아닙니다.

중년에 접어든 많은 이들이 경험하는 생각의 정리와 고찰, 그리고 자신의 내면과 대화하는 시간이 필요한 순간입니다. 예를 들면, 글쓰기는 매우 강력한 도구로 작용합니다. 그것은 단순히 정보나 생각을 전달하는 수단이 아니라, 우리의 감정과 사색, 그리고 지금까지의 삶과 앞으로의 방향을 탐색하게 도와줍니다.

이제 마지막으로 어떠한 자세가 우리에게 필요한지 그리고 그 힘을 어떻게 발휘할 수 있는지를 중점적으로 다루고자 합니다. 40대에게 제안하는 행동강령을 통해 자신을 다시 발견하고, 더 나은 미래를 위한 기반을 함께 만들어가고자 합니다.

1. 글쓰기 (스스로 생각하고 표현하는 능력)

중년과 글쓰기의 중요성

중년은 인생의 핵심적인 전환점으로 볼 수 있습니다. 인생을 외부 조건과 환경에 맞춰 최선을 다하는 객관식의 삶과 스스로의 가치와 신념을 중심으로 삶을 개척해 나가는 주관식의 삶으로 나누어 보자면, 중년은 바로 그 두 삶의 교차점에 위치합니다. 이 시기에 우리는 직업, 가족, 그리고 개인적인 목표와 같은 다양한 변화와 도전을 맞이하게 됩니다. 이러한 변화 속에서 글쓰기는 우리가 주관식의 삶으로 나아가는 데 큰 도움을 줍니다.

글쓰기를 통해 생각을 정리하고 감정을 조절하며, 새로운 방향이나 해결책을 찾는 데 큰 도움을 받을 수 있습니다. 특히 중년기까지 축적된 경험과 지식은 글로 정리하게 되면, 그것들은 가치 있는 자산이 되어 자신을 브랜딩하거나 지적 자산을 축적해 나갈 수 있습니다. 반면, 그것을 기록하지 않는다면, 그 경험은 잊혀질 수 있습니다. 이는 단순히 문자를 배열하는 행위를 넘어, 자신의 내면과 대화하고 성찰의 과정을 거치게

합니다.

글쓰기를 통한 만족감은 중년의 삶에 긍정적인 영향을 줍니다. 작은 성취감이 쌓이면서 자존감을 향상시키고, 삶의 질을 높여줍니다. 글쓰기는 단순한 기록을 넘어, 미래를 준비하고 지혜와 경험을 누적하는 중요한 과정이 됩니다.

『Five-Minute Journal』에서는 감사, 기대, 긍정의 힘을 글쓰기로 실천하며 하루를 시작하고 마무리하는 방법을 제시합니다. 이는 우리의 행복과 삶의 질을 높이는데 도움이 되지만, 글쓰기 자체가 지닌 다양한 효과도 주목할 만합니다.

첫째, 글쓰기는 자기 성찰과 내면 탐구를 가능하게 합니다. 생각과 감정을 글로 옮기는 과정에서 우리는 자신에 대한 이해를 깊이 할 수 있습니다.

둘째, 체계적인 사고와 논리력 향상에 도움이 됩니다. 아이디어를 글로 정리하면서 자연스레 비판적이고 분석적인 사고를 하게 됩니다.

셋째, 글쓰기는 창의력의 원천입니다. 다양한 지식과 경험을 결합하고 새로운 관점에서 바라보는 과정이 창의적 사고로 이어집니다.

넷째, 스트레스와 부정적 감정을 해소하는 데 효과적입니다. 글쓰기를 통해 마음속 응어리를 풀어내고 정서적 안정을 되찾을 수 있습니다.

다섯째, 의사소통 능력과 공감 능력을 기를 수 있습니다. 글을 통해 자신의 생각을 효과적으로 전달하고 타인의 입장에서 이해하는 연습을 할 수 있습니다.

이처럼 글쓰기는 단순한 도구가 아니라 우리 삶의 질을 높이는 강력한 수단입니다. 짧은 글쓰기부터 시작해 점차 깊이 있는 성찰의 글쓰기로 발전시킨다면, 우리는 자신에 대한 이해를 깊이 하고 삶의 방향성을 더욱 명확히 설정할 수 있을 것입니다.

글쓰기의 힘

글쓰기의 능력은 우리의 생각과 감정을 넘어 그 이면의 깊은 가치를 간직하고 있습니다. 중년기에 접어들며, 저 역시 글쓰기를 통해 제 삶의 방향과 가치를 성찰했습니다. 무엇을 잘하고, 무엇을 좋아하는지, 그리고 어떤 방향으로 나아가고 싶은지를 성찰하면서 삶의 청사진을 그려나갔습니다.

『기록의 쓸모』라는 책에서는 글쓰기의 중요성을 이렇게 강조합니다. 첫째로, 생각과 감정의 꺼리를 더욱 풍부하게 만들며, 둘째로, 자신을 더 깊게 이해하게 도와줍니다. 마지막으로, 콘텐츠 생산자로서 다양한 기회의 포착을 돕습니다.

두 번째로, 글쓰기는 잊혀질 우리의 추억과 경험을 소중한 기록으로 남깁니다. 일상의 빠른 흐름 속에서 여러 순간들은 금세 사라질 수 있습니다. 그러나 글로 기록한다면, 그것은 우리의 경험과 지식의 보물창고가 될 수 있습니다.

세 번째로, 글쓰기는 목표의 명확성과 정신적 안정을 가져다줍니다. 글로 생각과 감정을 표현하게 되면, 미묘한 불안과 스트레스를 완화시키며, 동시에 목표를 명확히 설정하는 데 큰 도움을 줍니다.

김재인 경희대 비교문화연구소 학술연구교수는 시사인의 한 인터뷰에서 이렇게 말합니다: "글쓰기는 문제의 발견, 데이터 처리와 종합, 플러스 알파의 추가, 멋진 표현이 합쳐지는 창조 과정이다. 글쓰기는 백지와 연필만 있으면 가능한 행위지만, 창의성이라는 개념을 관통하고 있다."

프라이밍 효과(Priming effect)는 기억에 저장된 생각을 무의식적으로 활성화시키는 것을 뜻하는 심리학 용어로 생각을 통해 행동이나 판단을 바꿀 수 있게 하는 효과입니다. 예를 들어, 긍정적 단어를 듣게 되면 실제로 사람들이 더 긍정적인 반응을 보이고, 부정적인 단어를 듣고 나면 더 부정적인 반응을 보일 가능성이 있습니다.

마지막으로, 글쓰기는 실력 향상의 필수적 요소입니다. 꾸준한 연습을 통해 누구나 글쓰기의 능력을 향상시킬 수 있습니다. 이 과정은 자연스럽게 꾸준함의 가치를 부여하며, 그 결과로 내용의 깊이와 표현력이 더해집니다.

글쓰기의 방해 요소

글쓰기는 단순히 문장을 연결하는 행위를 넘어서 자신의 생각과 감정, 경험을 타인에게 전달하는 개인적인 행위입니다. 그리고 이러한 행위에는 여러 가지 두려움을 수반합니다.

먼저, 자신의 생각과 감정을 공개하는 것에 대한 두려움이 있습니다. 글은 글쓴이의 내면을 드러내는 매개체입니다. 그것을 공개하면 자신의 생각과 감정이 평가받을 수 있습니다. 그 평가에 대한 두려움이 글쓰기의 첫걸음을 주저하게 만듭니다.

두 번째는 완벽주의에 대한 부담감이나 비교입니다. 많은 사람이 첫 문장을 쓰기 시작하는 것조차 어려워합니다. 완벽하게 글을 쓰고자 하는 부담감 때문에 시작 자체를 미루게 됩니다. 또한 다른 사람들의 잘 써진 글을 보며 낙담하기도 합니다.

마지막으로 독자의 반응에 대한 예측입니다. 글은 대체로 어떤 독자를 상상하며 쓰게 됩니다. 그 독자들의 예상 반응이나 피드백에 대한 두려움은 글쓰기에 방해가 될 수 있습니다.

글쓰기에 대한 두려움은 모든 사람에게 공통적인 경험입니다. 그리고 그 근본 원인은 다른 사람에 의한 '평가'입니다. 그러나 이 두려움을 극복하고 자신의 생각과 감정을 글로 표현하는 것은 매우 가치 있는 일입니다. 글을 통해 자신을 다시 한번 발견하고, 타인과 소통하는 경험을 얻을 수 있기 때문입니다.

글쓰기의 시작

자유 쓰기

많은 작가들이 한 목소리로 말하는 것은 '우선 써라'입니다. 강원국 작가는 『강원국의 글쓰기』에서 "숙제하기 전이 가장 괴로운 법 : 일단 써라", "세 가지 이유로 책을 못 쓰겠다는 분들께 : 책을 쓰자"라는 내용의 글을 썼는데, 글쓰기 방법에 대한 고민을 하지 말고 자신에게 맞는 방법으로 우선 글을 쓰라는 것입니다. 강원국 작가의 경우에는 일단 뭐라도 쓰고 글을 시작한다고 합니다. 그것이 첫 문장이 될 수도 있고, 제목이나 주제가 될 수도 있다고 합니다.

유시민 작가는 '글쓰기 근육'의 중요성을 강조했습니다. 글쓰기 근육은 일단 많이 써야 하는 것을 기본으로 완전한 문장을 적는다기보다는 뇌리에 스치는 생각과 느낌을 붙잡기 위해 매 순간 글로 작성하는 것이 중요하다고 합니다.

요약하자면, 자유 쓰기는 글쓰기의 가장 기본적인 형태입니다. 주어진 주제나 구조에 얽매이지 않고, 순간의 생각이나 느낌을 자유롭게 표현하는 것입니다. 그것이 일기가 될 수도 있고, 무언가를 보거나 경험하며 느꼈던 영감이 될 수도 있고, 그냥 잡생각이 될 수도 있습니다. 이때 완벽한 문장 또는 평가를 가미하지 않고 다양한 주제를 가지고 글을 작성해 보는 것이 중요한 포인트입니다.

베껴 쓰기

베껴 쓰기는 글쓰기의 영감이 되는 글쓰기의 시작점이 될 수 있습니다. 또한 설득력 있는 글을 작성할 때 탄탄한 자원으로 활용될 수 있습니다. 『쓰려고 읽습니다』에서 저자는 글을 쓰다 보면 곳곳에서 자기 생각이 미치지 못하는 지점을 맞닥뜨리게 되는데, 확 다가오는 문장을 만나게 되면 순간 그 문장은 온전히 자신의 것이 된다고 말합니다. 그 문장을 그대로 작성하는 것이 아니라, 나의 경험을 관통시킨 나만의 문장으로 재탄생시키는 것입니다.

글쓰기는 창의적인 활동이고 창의는 모방으로부터 시작되는 경우가 많기 때문에 이러한 방법을 적절히 활용하면 글을 쓰는 데 많은 도움이 될 것입니다. 만약 그 문장을 그대로 살려내길 원한다면, 명확한 출처와 함께 기록을 해두는 것이 좋습니다.

함께 쓰기

함께 쓰기는 혼자 쓸 때보다 많은 장점을 가지고 있습니다. 첫째는 동기부여입니다. 강제력이 동원되기 때문에 강한 동기부여가 가능합니다. 모임 시간에 글을 제출해야 하거나, 특정 마감 시간을 두고 함께 작업하기 때문에 게으름을 피우거나 중단할 수 없게 됩니다. 이는 포기하고 싶을 때, 서로 응원하며 지속 가능한 글쓰기 습관을 잡을 수 있도록 도움을 줍니다. 또한 함께 모여 쓰면서 서로의 다른 관점을 듣고 글에 대한 피드백을 받으며 글의 품질을 더 높일 수 있습니다. 내 글을 보고 건강한 지적을 해줄 수 있고, 내 글의 문제점과 개선 방향에 대해서 알 수 있습니다. 오랜 습관과 나만의 패턴들을 고쳐나갈 수 있습니다.

강원국의 글쓰기에서 저자는 "아내와의 대화에서 소재를 찾고, 써야 할 글이 있으면 아내에게 말하면서 생각을 정리한다"라고 말했습니다. 이처럼 글감부터 내가 작성한 글에 부족한 점이 무엇인지 타인의 시선으로 확인해 볼 수 있고, 동시에 타인으로부터 배움의 시간을 가질 수 있습니다. 마지막은 소중한 인연을 얻을 수 있습니다. 나와 다른 직업, 연령, 지역을 넘어서서 같은 방향성을 가진 사람을 만나게 되어 함께 교류하며 좋은 인연으로 거듭날 수 있습니다.

2. 독서

디지털 시대의 독서 문화

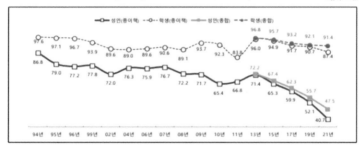

그림 36 국민독서실태조사 2022(출처: 통계청)

우리는 독서의 중요성에 동의합니다. 하지만 국민 독서 실태 조사에 따르면, 성인과 학생 모두의 독서량은 2013년 이후 점점 줄어드는 추세를 보입니다.

지하철이나 버스에서 우리 주변을 살펴보면 이런 변화의 단면을 목격할 수 있습니다. 약속이라도 한 듯, 대부분의 사람이 휴대폰에 집중하고 있습니다. 책을 보고 있는 승객을 발견하기는 정말 쉽지 않습니다.

실제로, 연간 독서율 조사에서 한 권 이상의 종이책을 읽은 성인의 비율은 겨우 40.7%에 불과합니다. 그렇다면, 이런 변화의 배경에는 어떤 요인들이 있을까요? 2021년도 조사에 따르면, 사람들이 독서에 시간을 내지 못하는 가장 큰 원인은 과중한 업무와 다양해진 디지털 채널의 영향으로 드러났습니다. 더욱이, 요즘은 글보다는 영상을 선호하는 경향이 강화되고 있습니다. 그 중에서도, 짧은 숏츠나 릴스 형식의 영상이 큰 인기를 끌고 있습니다. 이러한 변화는 사람들이 장문의 글이나 책을 읽는 것을 멀리하게 만들며, 요약본이나 짧은 글 중심의 정보 소비 습관을 형성하고 있습니다. 그렇다고 해서 영상 소비가 나쁘다는 것은 아닙니다. 다만, 영상에서 얻을 수 있는 정보나 경험은 한정적입니다. 반면 책은 우리에게 더 깊고 넓은 지식을 제공합니다. 그렇기에, 디지털 시대에도 책을 읽는 것의 중요성은 변하지 않습니다.

게다가, 책을 읽지 않으면 글에 대한 이해력이 저하될 뿐만 아니라, 복잡한 내용을 추론하고 해독하는 능력 또한 떨어집니다. 이는 결국 낮은 문해력으로 이어지며, 깊이 있는 사유 능력의 저하로 연결됩니다.

요약하면, 디지털 시대에서도 책과의 교류는 우리의 지식과 사유 능력을 키워주는 중요한 활동입니다. 현대 사회의 다양한 유혹 속에서도 독서의 가치를 잊지 말아야 합니다.

<u>독서가 삶에 미치는 영향</u>

독서는 단순히 문자를 읽는 행위를 넘어서 우리의 삶에 깊은 흔적을 남깁니다.

우선, 저의 경험을 들려드리자면, 제가 사는 집에는 TV가 없습니다.

TV의 부재는 삶에 많은 불편함을 가져왔습니다. 하지만 이는 우리 가족의 독서 습관에 큰 변화를 불러왔습니다. 아침에 일어나면 저는 책을 읽기 시작합니다. 이런 제 습관이 아이들에게도 전염되어, 아이들도 눈을 뜨면 책을 들여다봅니다. 물론 아직 그림 중심으로 책을 읽고 있지만, 아이들의 독서 습관에 부모의 영향이 크게 작용한다는 것을 새삼 느끼게 됩니다.

독서는 생각하는 힘을 길러줍니다. 우리는 대부분 소비하는 문화에 둘러싸여 있습니다. 쉽게 접할 수 있는 정보와 지식, 더불어 만들어진 제품들을 소비하는 것에 익숙해져 있죠. 그러나 독서를 통해 우리는 무언가를 생산하게 됩니다. 그것은 바로 '생각'입니다. 독서를 통해 새로운 정보와 지식을 얻게 되면, 그 정보를 바탕으로 자신만의 생각과 견해를 형성합니다.

더 나아가, 독서는 쓰기의 힘을 길러줍니다. 책을 읽고 그 내용에 대한 서평이나 독후감을 작성하는 것은 그 책의 내용을 깊이 이해하고 자신의 생각을 정리하는 데 큰 도움이 됩니다. 저도 처음에는 독서 후 간단히 내용을 기록하는 정도였지만, 시간이 지나면서 노션과 블로그에 독서 후기를 정리하게 되었습니다. 이런 글쓰기 활동은 제가 읽은 책의 내용을 더욱 깊게 이해하게 해주는 동시에, 나의 자산이 되어 중요한 내용들을 사유할 수 있게 되었습니다. 또한, 독서는 우리의 지적 성장을 촉진시켜 줍니다. 책은 다양한 지식과 경험을 공유해주는 가장 효과적인 도구입니다. 특히, 깊이 있는 내용의 책을 읽을 때, 그 내용을 다시 생각하고 고민하면서 스스로의 지식을 확장시킬 수 있습니다.

마지막으로, 독서는 우리의 정신 건강에도 긍정적인 영향을 미칩니다. 책을 읽을 때 우리의 두뇌는 새로운 정보를 처리하면서 활발하게 움직입니다. 이는 두뇌의 활동을 촉진시켜 기억력이나 집중력을 향상시킬 수 있습니다.

중년의 독서

저는 다른 사람들의 집이나 사무실에 방문했을 때, 책장에 꽂혀 있는 책을 유심히 보곤 합니다. '내가 읽은 책은 곧 나다.'라는 말처럼 책은 개인의 가치와 생각을 반영하기 때문에, 꽂혀 있는 책을 보면, 그 사람이 어떤 사람인지 무엇에 관심이 많은 지 등을 알아차릴 수 있습니다.

중년기에는 종종 특정 분야나 주제에 대한 더 깊은 관심과 탐구가 필요하게 됩니다. 이때, 너무 광범위하게 독서를 확산시키기보다는 자신의 관심 분야나 전문성을 높일 수 있는 주제로 독서에 집중하는 것이 효과적입니다. 이를 통해 지식의 깊이가 더해지며, 그 분야에 대한 전문가로 성장할 수 있습니다.

젊은 시절에 얻은 지식과 중년의 시점에서 새롭게 얻는 지식을 연결하면서, 보다 통합적이고 깊은 사유의 과정을 경험할 수 있습니다. 이는 책을 통해 다양한 사람들의 경험과 지혜를 얻어 자신의 삶에 접목시키는 과정으로 볼 수 있습니다.

독서를 통해 다양한 인물들의 삶과 선택, 그 결과에 대해 알게 되면서 자신의 삶과 비교해보고, 어떤 선택을 해야 할지, 현재의 상황을 어떻게 개선해 나갈지에 대한 힌트를 얻을 수 있습니다.

독서의 장애물과 해결책

독서는 삶에서 깊은 통찰과 지식을 가져다주는 중요한 활동입니다. 하지만 우리 일상에서는 여러 가지 장애물이 독서 활동을 방해하기도 합니다. 이러한 장애물들을 인식하고 그에 맞는 해결책을 찾는 것이 필요합니다.

과중한 업무와 시간 부족

많은 사람들이 독서를 시작하지 못하는 가장 큰 이유는 바쁜 일상과 업무 때문이라고 합니다.

- 시간 관리: 특정 시간을 독서에 할애하는 것이 중요합니다. 예를 들어, 하루 10분이라도 책을 읽는 시간을 만들면 독서를 시작할 수 있습니다.
- 목표 설정: 주간 또는 월간 독서 목표를 세워서 동기를 부여하면 좋습니다.

디지털 환경의 유혹

디지털 환경, 특히 SNS와 같은 플랫폼은 우리의 주의를 쉽게 빼앗기 때문에 독서에 집중하기 어렵게 만듭니다.

- 디지털 디톡스: 일정 시간 동안 스마트폰이나 컴퓨터를 멀리하여 독서습관을 만들 수 있습니다.
- 읽기 친화적인 환경 구축: 디지털 기기를 멀리 둔 조용한 공간에서 독서하는 것이 도움이 될 수 있습니다.(휴대폰 감옥을 구매해서 강제성을 주어도 좋습니다.)

책 선택의 어려움

어떤 책을 읽을지 선택하는 것이 어려워 독서를 시작하지 못하는 경우도 있습니다.

- 독서 목록 만들기: 추천 책이나 관심 있는 주제에 대한 책을 목록화하여 점진적으로 읽어나가는 방식을 선택할 수 있습니다.
- 책 리뷰나 독후감 참조: 다른 사람들이 쓴 책 리뷰나 독후감을 참고하여 내 관심과 맞는 책을 선택하는 것도 도움이 됩니다

장문의 글에 대한 접근성

- 요약본이나 짧은 글에 익숙해진 현대인에게는 장문의 글을 읽는 것이 부담스러울 수 있습니다.
- 단계별 독서: 먼저 짧은 글이나 에세이부터 시작하여 점차 장문의 글로 확장해 나가는 방식을 시도해 볼 수 있습니다.
- 하이라이트와 메모: 읽으면서 중요하다고 생각되는 부분을 하이라이트 하거나 간단한 메모를 남기는 습관을 갖는 것이 도움이 됩니다.

독서 활동 확장하기

독서는 단순히 책의 페이지를 넘기는 행위를 넘어, 그 경험을 깊게 확장하고 다양화하는 무수한 방법들이 존재합니다. 여기서는 그런 다양한 독서 활동을 어떻게 확장할 수 있는지 몇 가지 제안을 하고자 합니다.

독서 모임 참여하기

서로 다른 사람들과 책에 대한 생각과 감정을 공유하며, 다양한 관점에서 책을 바라볼 수 있는 기회입니다. 새로운 사람들과의 인연도 얻을 수 있습니다.

- 지역 도서관, 서점 또는 온라인 커뮤니티에서 독서 모임을 찾아볼 수 있습니다.
- 자신만의 독서 모임을 시작하는 것도 좋은 방법입니다.

책에 대한 리뷰 작성하기

독서 후 자신의 느낌과 생각을 정리하여 공유하는 활동입니다. 이를 통해 독서의 깊이를 더욱 높일 수 있습니다.

- 블로그, SNS, 도서 리뷰 사이트에 본인의 감상을 남길 수 있습니다.
- 글쓰기에 자신이 없다면, 음성 녹음이나 동영상 리뷰로 시작해 보는 것도 좋은 방법입니다.

책과 관련된 여행하기

책에 등장하는 장소나, 작가의 생애에 관련된 곳을 방문하여 책의 내용을 직접 체험해 보는 활동입니다.

- 해외여행은 어렵다면, 국내 문학의 향기가 느껴지는 곳을 찾아볼 수 있습니다.
- 문학 트레킹, 문학 걷기 행사에 참여하여 같은 취미를 가진 사람들과 책에 대한 감상을 나눠볼 수 있습니다.

책에 관련된 창작활동 하기

독서를 통해 얻은 영감을 바탕으로 자신만의 창작물을 만들어보는 활동입니다.

- 책 속의 이야기나 등장인물을 바탕으로 시나 소설을 써볼 수 있습니다.
- 그림, 사진, 조각 등 다양한 미술 작품으로 자신의 해석을 표현해 볼 수 있습니다.

3. 나의 안전지대 벗어나기

도전 앞의 두려움

우리의 삶은 끊임없는 선택과 결정의 연속입니다. 이 선택들 앞에서 우리는 종종 불확실성과 두려움에 직면하게 됩니다. 특히 새로운 도전을 앞두고 우리는 '만약 실패하면 어떻게 될까?', '다른 사람들은 나를 어떻게 볼까?'와 같은 두려움에 사로잡히며 주저하게 됩니다. 이러한 순간들은 우리로 하여금 새로운 경험과 성장의 기회를 놓치게 할 수 있습니다.

심리학에서는 이러한 안정적이고 편안한 영역을 '안전지대(comfort zone)'라고 부릅니다. 이는 우리가 익숙하게 느끼는, 변화 없는 안정된 상태를 의미하는데, 이곳에서 벗어나지 않으면 우리는 새로운 경험을 하지 못하게 됩니다. 변화의 바람을 느끼려면, 이 편안함의 영역에서 나와야만 합니다. 그리고 이 안전지대를 넘어서면 공포의 지대가 기다리고 있지만, 그 너머에는 학습의 지대와 성장의 지대가 기다리고 있습니다.

변화와 도전 앞에서 느끼는 두려움은 자연스러운 감정입니다. 그러나 진정한 성장을 위해서는 이러한 두려움을 극복하는 용기가 필요합니다. 용기 있는 선택은 우리를 과거의 한계로부터 해방시키고, 새로운 가능성의 세계로 인도합니다. 우리가 이러한 용기를 내어 새로운 경험에 도전할 때, 삶은 풍부하고 의미 있는 방향으로 전개될 수 있습니다.

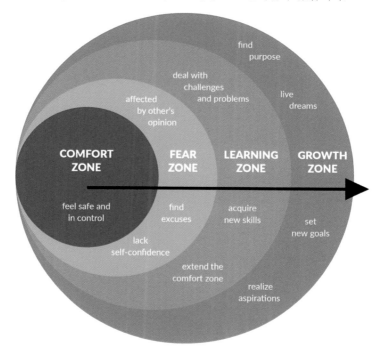

그림 37 Comfort Zone

(출처: https://positivepsychology.com/confort-zone)

또한, 두려움을 극복하는 과정은 자기 인식의 증진을 가져다줍니다.

우리는 실패와 실수를 통해 배우며, 이를 통해 스스로 더 강해질 수 있습니다. 도전 앞에서 느끼는 두려움은 우리가 자신에 대해 더 깊이 이해할 수 있는 기회를 제공하며, 이러한 이해는 자신감과 자기 확신으로 이어집니다.

이러한 점을 염두에 두고, 우리는 '안전지대'를 벗어나 새로운 도전을 시도해야 합니다. 새로운 도전은 우리에게 새로운 기술을 배우고, 새로운 사람들을 만나며, 새로운 관점을 탐색할 기회를 제공합니다. 이러한 경험은 우리의 인생을 풍요롭게 만들고, 우리가 꿈꿔온 삶을 살 수 있도록 돕습니다.

마흔의 나이에, 우리는 두려움을 넘어서는 도전을 선택함으로써 삶의 깊이를 더할 수 있습니다. 이는 우리의 인생 여정에서 중요한 발전 단계이며, 우리 자신을 더욱 풍부하게 만드는 과정입니다. 따라서, 두려움 앞에서 멈추지 말고, 용기 있게 새로운 경로를 탐색해 보는 것이 중요합니다.

일단 해보기의 힘

두려움 앞에서 망설이는 것은 우리의 성장을 가로막는 장벽으로 작용할 수 있습니다. 변화를 두려워하지 않고, 그 안에 숨겨진 기회를 포착하기 위해서는 '일단 해보기'라는 접근 방식이 필요합니다. 이러한 태도는 우리에게 여러 가지 긍정적인 변화를 가져다줄 수 있습니다.

'일단 해보기'는 세 가지 중요한 이점을 제공합니다. 첫 번째로, 아직 경험하지 못한 미지의 영역에서의 도전은 귀중한 교훈과 경험을 제공합니다. 때로는 실패할 수 있는데, 실패라는 것은 단순히 목표에 도달하지 못한 것이 아니라, 그 과정에서 얻는 교훈과 성장의 한 부분이기도 합니다.

두 번째로, '일단 해보기'는 불확실성에 대한 두려움을 극복하는 데 도움이 됩니다. 두려움을 넘어서면 새로운 기회와 가능성을 발견할 수 있으며, 이는 우리의 삶에 긍정적인 변화를 불러옵니다. 우리가 두려움을 극복하고 새로운 도전에 나설 때, 우리는 자신도 몰랐던 새로운 길을 발견하게 됩니다.

마지막으로, '일단 해보기'는 우리가 모르던 자신의 잠재력을 발견하게 해줍니다. 새로운 경험은 자신에 대한 이해를 높이고, 자신이 가진 능력과 잠재력을 탐색하는 기회를 제공합니다. 우리는 자신이 생각했던 것보다 더 많은 것을 할 수 있음을 깨닫게 됩니다.

이러한 접근 방식은 우리가 자신의 한계를 뛰어넘고, 자신감을 느끼게 해줍니다. '일단 해보기'를 통해 우리는 새로운 경험을 하고, 자신을 더욱 발전시킬 수 있는 기회를 가질 수 있습니다. 두려움을 극복하고 새로운 도전을 시도함으로써, 우리는 자신의 삶을 더욱 풍요롭고 의미 있는 방향으로 이끌 수 있습니다.

'일단 해보기'의 힘을 활용하여, 우리는 미래에 대한 두려움을 극복하고, 새로운 가능성을 탐색할 수 있습니다. 이것은 우리가 새로운 경험을 하고, 삶을 더욱 풍요롭게 만드는 데 필요한 중요한 단계입니다. 따라서, 두려움에 주저하지 말고 새로운 경험을 시도해 보는 것이 중요합니다. 이러한 태도는 우리의 삶을 더욱 풍요롭고 의미 있게 만들 것입니다.

지식에서 실행으로

인생에서 우리는 지식을 습득하는 데 많은 시간을 할애합니다. 이 지식은 학교에서 배운 이론, 책에서 얻은 정보, 경험을 통해 터득한 지혜 등 다양한 형태로 존재합니다. 하지만 지식을 '알고 있는 것'과 '실제로 행동에 옮기는 것' 사이에는 큰 차이가 있습니다. 지식은 단순히 알고 있음에 불과하며, 이를 실천에 옮기는 것은 전혀 다른 차원의 과정입니다.

수영에 관한 지식을 완벽히 알고 있다 하더라도, 실제 물속에서 수영하는 것은 이론과는 매우 다릅니다. 실제 환경에서의 경험은 이론적 지식으로는 얻을 수 없는 깊은 학습과 인사이트를 제공합니다. 지식은 방향을 제시해 주는 나침반과 같지만, 그 방향으로 나아가는 것은 우리의 실행력에 달려 있습니다. 따라서, 지식과 실행 사이의 간격을 줄이기 위해서는 지속적인 실습, 경험 및 도전이 필수적입니다.

실행력을 키우는 과정에서 실패와 실수는 불가피합니다. 그러나 이러한 실패와 실수를 통해 우리는 더 나은 방법을 찾아 나가고, 더 많은 것을 배웁니다. 지식만으로는 우리의 성장에 한계가 있으며, 그 지식을 실천에 옮겨 직접 경험하는 것은 우리의 성장과 발전을 촉진합니다.

이러한 과정을 통해 우리는 지식과 실행 사이의 차이를 이해하고, 그 차이를 줄이는 방법을 배웁니다. 이는 우리가 진정한 성장과 발전을 이루는 데 중요한 단계입니다. 지식에서 실행으로의 전환은 우리가 더 나은 결정을 내리고, 더 효과적으로 행동하며, 삶의 여러 영역에서 진정한 성과를 달성하는 데 도움이 됩니다.

따라서, 지식을 획득한 후에는 그 지식을 실제로 적용하고, 실천하는 데 초점을 맞추어야 합니다. 이는 우리가 배운 것을 통해 삶을 변화시키고, 더 나은 결과를 얻는 방법입니다. 지식에서 실행으로의 전환은 우리의 삶에 긍정적인 변화를 불러오며, 우리가 더 나은 미래를 만들어 가는 데 필수적인 요소입니다.

4. 네트워킹과 인간관계

네트워킹의 중요성

40대가 되면서, 우리는 삶에 대한 깊은 성찰과 경험을 통해 성장합니다. 이 시기에 '네트워킹'의 가치는 특히 중요해집니다. 이 단어에 대한 우리의 관점은 젊은 시절에는 친구 만들기, 인맥 확장, 새로운 사람들과의 만남을 의미했을 것입니다. 그러나 40대에 들어서면 네트워킹은 더 깊은 의미를 가집니다.

새로운 사람을 만나고 관계를 형성하는 일은 많은 에너지를 요구하며, 이는 자신의 삶을 재점검하고 새로운 방향을 설정하는 중요한 과정입니다.

새로운 인맥 구축은 때때로 부담스러울 수 있지만, 주변 사람들과의 연결은 새로운 기회와 가능성을 열어줍니다.

네트워킹은 단순히 인맥을 확장하는 것을 넘어, 자신의 가능성을 키우고 자신의 미래를 디자인하는 데 큰 도움이 됩니다.

저는 40대가 되면서 네트워킹의 진정한 힘을 깨달았습니다. 지금 이

책을 쓰게 된 것도 소중한 인연의 소개로 가능했고, 몇 년 전 교육용 플랫폼을 개발해 본 경험이 있었는데, 그것도 모두 누군가의 소개로 가능했었습니다. 어쩌면 인맥이라는 것은 나 자신의 삶과 경력을 더욱 빛나게 만드는 열쇠가 될 수 있을 것입니다.

미국의 사업가이자 강연자인 짐 론^{Jim Rohn}은 "우리는 가장 많은 시간을 함께 보내는 다섯 사람의 평균"이라고 말했습니다. 이는 우리의 수준이 내가 함께하고 있는 사람을 넘어서기 어렵다는 것을 의미합니다.

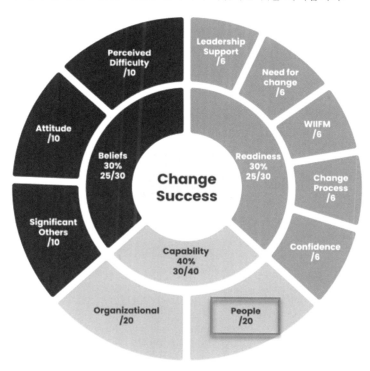

그림 38 Change Success Diagnostic(출처 : Dr Chris Mason)

또한 크리스 메이슨^{Chris Mason}이 개발한 '변화 성공' 모델에 따르면, 성공적인 변화에 있어서 인적 네트워크가 차지하는 비율은 무려 20%입니다. 이처럼 높은 비율을 차지하는 인적 네트워크를 적극적으로 개선해 나갈 때, 우리는 성공의 기회를 잡을 수 있습니다.

40대는 새로운 시작을 의미하는 시기입니다. 이때 네트워킹의 중요성을 간과한다면 많은 기회를 놓칠 수 있습니다. 따라서, 꾸준한 관리와 애정을 통해 인간관계를 가꾸는 것은 계속해서 필요한 일입니다. 40대의 네트워킹을 통해 자신을 재발견하고, 새로운 시작을 하실 수 있기를 바랍니다.

마흔에 꼭 만나야 할 사람

마흔이 되면, 우리는 삶의 중대한 전환점에 서게 됩니다. 이때 올바른 방향으로 나아가기 위해서는 특정한 유형의 사람들과의 관계를 형성하는 것이 중요합니다. 『마흔에 꼭 만나야 할 사람 버려야 할 사람』에서 이를 내 인생을 빛나게 해줄 다섯 사람이라고 정의하고 있으며 그 유형을 '쓴소리 하는 사람', '약점을 보완해 주는 사람', '소개 능력이 뛰어난 사람', '항상 자극을 주는 사람', '대립하는 의견을 말해주는 사람'로 말하고 있습니다. 하지만 깊이 있는 관계를 만들기 위해서 저는 세 가지 유형의 사람을 만나라고 말하고 싶습니다.

첫 번째는 함께 공감하고 나눌 수 있는 사람입니다. 마흔이 되면 우리는 인생의 희로애락을 경험하게 됩니다. 이런 감정들을 함께 나누고 공감해 줄 수 있는 사람의 존재는 매우 소중합니다. 그들은 우리의 기쁨을 배가시키고, 슬픔을 위로해 줍니다. 이런 사람들과의 교류는 우리에게 정서적 안정과 힘을 제공합니다.

두 번째로 중요한 사람은 만날수록 마음이 편한 사람입니다. 마흔의 우리는 제한된 시간과 에너지를 가지고 있습니다. 이런 상황에서 우리에게 에너지를 주는 사람들과의 만남은 매우 중요합니다. 만날 수록 에너지가 소모된다면 그 만남은 지속되기가 어려울 것입니다. 하지만 편안한 사람들과 함께 있으면 지친 일상에서 벗어나 재충전할 수 있습니다. 이런 사람들의 존재는 우리가 긍정적인 마음가짐을 유지하고, 지속적으로 관계를 이어나가는 데 큰 힘이 됩니다.

마지막으로 주목해야 할 사람은 다른 관점을 제시하는 사람입니다. 우리는 자신만의 사고방식과 가치관을 가지고 있습니다. 하지만 때로는 이런 고정관념이 우리의 성장을 막을 수 있습니다. 이런 점에서 다른 시각을 가진 사람들과의 만남은 매우 소중합니다. 그들은 우리에게 새로운 아이디어와 시각을 제공하여, 사고의 폭을 넓혀 줍니다. 이는 우리가 더욱 성숙하고 현명한 선택을 하는 데 도움을 줍니다.

특별히 이 세 부류의 사람들과의 만남에 주목한다면, 우리는 마흔이라는 인생의 전환점을 보다 의미 있고 행복하게 보낼 수 있을 것입니다. 함께 공감하고 나누며, 편안함을 느끼고, 새로운 시각을 얻을 수 있는 소중한 인연들을 만나길 바랍니다.

마치며

AI가 일시적으로 모두의 관심을 받았다며 버블로 보는 시선도 있습니다. 하지만 AI의 역사는 오래되었으며, 그 발전 속도는 계속해서 가속화되고 있습니다.

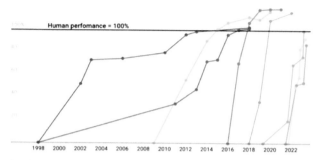

그림 39 인간의 능력을 넘어서는 AI(출처: TIME)

ContextualAI의 분석 결과에 따르면, GPT-4의 경우 거의 모든 언어 능력에서 90% 이상의 인간의 능력을 넘어서고 있습니다. 이러한 진전은 AI가 단순히 유행이 아니라, 우리 삶의 근본적인 부분을 변화시키는 핵심 기술임을 시사합니다.

AI 기술은 개인, 기업, 제품에 점점 더 광범위하게 적용되고 있습니다. AI가 접목되지 않은 제품은 앞으로 고객들에게 선택 받기 어려울 것으로 보입니다. 만약 여러분이 AI를 어려운 기술로만 여겨왔다면, 이제는 열린 마음으로 이를 활용해 보면 어떨까요. 직장이나 일상에서 AI를 사용하면 더 나은 성과를 기대할 수 있고, 새로운 기회를 포착할 수 있습니다. 이 책에서 소개된 새로운 AI 서비스들을 사용해 보시길 강력히

추천해 드립니다. 또한, 카카오 오픈채팅방에 참여해 함께 연구하고, 실험하며, 배워 나갔으면 좋겠습니다.

　AI 기술은 우리의 삶을 변화시키고 있으며, 이 책을 통해 그 변화를 이해하고 적극적으로 활용하는 데 도움이 되길 바랍니다. AI와 함께 더 나은 미래를 준비하고, 새로운 가능성을 발견하는 여정에 여러분께서 함께하시기를 기대합니다.

　감사합니다.